D0657681

LA BELLE HORTENSE

« Il faisait beau et chaud, en ce matin de septembre, dans le square des Grands-Edredons. La cloche de Sainte-Gudule sonna onze heures, sans se tromper. Et le soleil se dépêcha d'éclairer les enfants, les marronniers et les fenêtres, car tel était son devoir.

Assis à son bureau, le professeur Orsells pensait philosophiquement et il dormait. Certains demanderont s'il pensait en dormant. D'autres voudront savoir s'il dormait en pensant. D'autres encore prétendront qu'il ne pouvait pas philosopher et dormir en même temps. Mais nous, nous disons simplement ceci : le professeur Orsells pensait et dormait. Ses ronflements se mêlaient harmonieusement au doux ronronnement doux de Tioutcha, allongée et rousse devant lui. Alexandre Vladimirovitch gratta légèrement au carreau et sauta dans la pièce sans faire de bruit. Les paupières de Tioutcha battirent, ses yeux s'allongèrent et son ronronnement se fit plus doux encore. Leurs moustaches s'interrogèrent, leurs museaux se rencontrèrent, leurs langues se râpèrent, leurs fourrures (noire et rousse) se caressèrent.

Il y eut un long patte à patte et le chapitre s'acheva. »

J.R.

Jacques Roubaud, né en 1932, est mathématicien. Membre de l'Oulipo, il a publié de la poésie, du théâtre et de la prose – Le Grand incendie de Londres *(1989) et* La Boucle *(1993) notamment – dont l'ampleur narrative est appelée à augmenter encore.*

Trois volumes illustrent, à ce jour, les aventures de la belle Hortense.

Jacques Roubaud

LA BELLE HORTENSE

ROMAN

Seghers

La première édition de cet ouvrage a paru
aux Éditions Ramsay en 1985

TEXTE INTÉGRAL

ISBN 2-02-024546-9
(ISBN 2-232-10322-6, 1re publication)

Chapitre 1

Eusèbe

En été, l'épicerie Eusèbe ouvrait à huit heures. En hiver aussi d'ailleurs. Mais en été, c'était Eusèbe lui-même qui s'occupait de l'ouverture : il tirait les deux pans de la grille, qui n'était jamais complètement fermée, sortait sur le trottoir les casiers à légumes et à fruits, les ouvrait, disposait leur contenu — tomates, oranges, pêches, salades, bananes... — d'une manière commerçante et agréable, c'est-à-dire en fourrant les plus visiblement pourris en dessous, ou en arrière, des autres, ceux qui restaient encore présentables ; puis, sa journée de labeur ainsi terminée à son entière satisfaction, il prenait position sur la chaussée, entre les poubelles, à quelques pas de l'arrêt des autobus de la ligne T (facultatif).

Dès que la porte du magasin s'ouvrait, ou au plus tard au bruit rouillé de la grille qui suivait immédiatement, Alexandre Vladimirovitch apparaissait et sautait princièrement sur les casiers, s'installant de préférence parmi les citrons, dont la santé lui paraissait plus fiable que celle des poires ou des oignons. Là, sphinxoïde, il attendait le lever de Mme Eusèbe, et surtout son lait Gloria du matin. Son attente n'était jamais très longue car, Eusèbe se désintéressant totalement de la vente, l'entière responsabilité en retombait sur son épouse. Lui, il était occupé ailleurs.

Nous profiterons de ce court répit pour faire le portrait d'Eusèbe (par *nous*, je veux dire le ou plutôt les narrateurs de cette histoire, puisque toute histoire suppose non pas un, mais une foule de narrateurs implicites ou explicites, tant sont nombreux les lieux et les crânes où se passe quelque chose d'important, dans tout récit normalement constitué ; seul un romancier idiot reste toujours au même endroit, c'est-à-dire en lui-même, derrière son menton. Moi, Jacques Roubaud, je ne suis ici que celui qui tient la plume, en l'occurrence un feutre noir « Pilot Razor Point » à pointe fine — comme l'indique un peu de jaune au bout du capuchon, par opposition au rond blanc qui signale une pointe plus épaisse ; la pointe fine est plus chère, mais tant pis — et c'est pourquoi je dis *nous*, ce qui est un pluriel de modestie. Il y a dans ce roman, par ailleurs, autant vous le révéler tout de suite, un Narrateur, qui est un des personnages de l'histoire. Il apparaîtra dès le deuxième chapitre, et il dira *je*, comme les narrateurs le font généralement dans les romans. Mais je vous invite à ne pas le confondre avec moi, qui suis l'Auteur).

Pour faire donc le portrait, si l'on peut dire, d'Eusèbe, nous profiterons de ce court répit : à soixante ans, âge qu'il devait conserver pratiquement jusqu'à sa mort, Eusèbe cessa de s'intéresser aux problèmes en somme triviaux de l'épicerie, dont il abandonna dès lors le soin à peu près exclusif à Mme Eusèbe et à Alexandre Vladimirovitch, pour se consacrer à une activité sinon plus noble, du moins plus exaltante à ses yeux.

L'épicerie Eusèbe, fondée par son père, Eusèbe père, un demi-siècle auparavant, était située dans un renfoncement de la rue des Citoyens, au coin de ce minuscule fragment de la rue des Milleguiettes que découpait alors le square des Grands-Edredons. Ce bout de rue des Milleguiettes est très étroit et, en face, une excroissance de Sainte-Gudule crée par compensation un élargissement de la rue des Citoyens, celle-ci étant obligée de contourner l'église pour rejoindre les parties les plus centrales de la Ville, comme elle en a pris l'habitude il y a très longtemps. A droite, vers l'est (nous nous plaçons, pour le moment et par la pensée, dans la position qui est celle d'Eusèbe, debout sur le trottoir devant l'épicerie), très près, juste après l'arrêt de l'autobus T (facultatif), se trouve le carrefour Citoyens-Vieille-des-Archives. Ce carrefour, lui, prend un peu d'ampleur, non seulement de l'élargissement déjà signalé de la rue des Citoyens, mais du fait que, presque en face de nous, la maison qui était au coin a disparu de vieillesse, comme une dent déchaussée par une attaque de bactéries et une absence de conviction. La grande paroi nue, ainsi révélée, de la maison voisine (soutenue par des boiseries et poutres mi-cramées, du plus bel effet vieux-normand) s'orne de graffiti et d'affiches en concurrence sauvage ; parmi lesquels, à côté de déclarations d'un genre prévisible (« Emilienne se prostitu ! on ta vu samedi dans le Square : Béber »), cet aveu, un peu mystérieux ensemble et mélancolique :

« Je suis bien seul à comprendre Puvis de Chavannes ! »

La municipalité, dans une crise de verdure momentanée, a planté deux petits faux acacias pessimistes, que l'oxyde de carbone met mal à l'aise, et qui essayent de ne pas avoir l'air d'être là. Ils y réussissent dangereusement : en effet, la rue des Citoyens est en sens unique dans la direction ouest-est, donc, pour nous en ce moment, de gauche à droite ; la rue Vieille-des-Archives l'est de haut en bas (sur le Plan de Ville, mais pour nous de l'avant vers l'arrière), dans la direction qui est, nécessairement, si vous nous suivez bien, nord-sud. Les voitures arrivent donc au carrefour avec confiance, séparées par les faux acacias, et sûres chacune de sa supériorité. Comme il n'y a pas de feu rouge, et que les faux acacias font ce qu'ils peuvent, le résultat est un ensemble de collisions bruyantes, stridentes, et fréquentes, particulièrement aux petites heures de la nuit, avec irruption de flics, d'ambulances, et récriminations propres à réjouir le cœur de Mme Croche, la concierge du 53. Ces remous laissaient Eusèbe indifférent.

Il faut vous dire que la rue des Citoyens, en elle-même parfaitement dénuée d'antiquité comme d'intérêt, caractéristiques qu'elle partage avec sa rivale et perpendiculaire, la rue Vieille-des-Archives, relie deux morceaux de ville hautement attractifs pour les touristes : le premier, à l'est, à cause des vieux hôtels des vieux siècles, des vieilles rues aux façades rénovées (rue Olenix-de-Mont-Sacre, rue Péréfixe-de-Beaumont « greffier et écrivain », rue Péan-de-la-Croulardière « jurisconsulte », rue Emile-Zola « romancier aux idées matérialistes », rue Eléazar-de-Brocourt-Sercilly, sieur de Chandeville, et nous en passons), des vieux ateliers de vieux peintres célèbres, salons de thé bcbg et jardins peignés de feuilles d'automne ; le second, à l'ouest, par sa modernité centrale et frémissante, ses galeries de peinture new-yorkaise offrant tous les invendus du Bronx aux bords des rues piétonnes, ses clochards invités par le conseil municipal (fifty pour cent de clochards indics et fifty pour cent de flics faux clochards), ses imitations-poètes debout déclamant sur les fontaines, ses jeunes musiciens et musiciennes avec leurs petites flûtes à bec et leurs grosses violes de gambe s'entraînant sur les oreilles passantes à des Marin Marais nocturnes. Le vieux quartier est recommandé pour la visite le matin, le quartier moderne pour le soir, à ce que disent les guides. Et c'est pourquoi, du matin au soir, un fort courant de convexion s'établit entre les deux : les touristes circulent, le plus souvent à pied. Arrivés au carrefour, par exemple, ils hésitent, sortent les plans de leurs sacs, havresacs ou poches, arrêtent les taxis, les passants, les voitures ou l'autobus T pour interroger en langues pérégrines : « *Poudipon, where ?* » « *Giougo, wo ?* », puis repartent émerveillés avant de disparaître derrière Sainte-Gudule ou bien, tournant par la rue des Milleguiettes, dans le square des Grands-Edredons.

Du point de vue d'Eusèbe, qui est celui que nous adoptons dans ce chapitre, les touristes se répartissaient strictement en deux catégories principales (une fois écartés les cas particuliers ou frontières, écossais et autres) : les hommes constituaient la catégorie I ; les femmes la catégorie II. La catégorie I ne présentait aucun intérêt. Dans la catégorie II (les femmes), il distinguait à nouveau deux grandes sous-catégories (« c'est un peu, expliquait-il à Mme Eusèbe, comme les légumes en boîte : il y a les haricots verts, et il y a les petits pois ; parmi les petits pois, il y a les fins et les très fins ; et si je prends les très fins, il y a les cuisinés et les pas cuisinés, tu comprends ? » disait-il à Mme Eusèbe ; mais elle dormait déjà). Dans la catégorie II, des femmes, il y avait donc d'une part les Intéressantes (A) et les Pas-Intéressantes (B). La sous-catégorie des Pas-Intéressantes (IIB) ne l'intéressait pas plus que celle des hommes (I). Il ne s'intéressait qu'aux Intéressantes (IIA), parmi lesquelles il incluait d'ailleurs une sous-sous-catégorie spéciale, après mûre réflexion : celle des Pas-Pas-Intéressantes, dont le père Sinouls, grand admirateur de Nicolas de Cuse qui, disait-il, le faisait « bien rigoler », lui avait inspiré l'idée ; nous la noterons IIA*.

Bien, bien, nous direz-vous, reste à savoir comment, par quelles propriétés, Eusèbe reconnaissait les spécimens intéressants de la catégorie femmes (par *vous*, nous désignons, bien entendu et pour toute la suite du roman, *le* Lecteur — dont le portrait, générique ou robot, orne le bureau du directeur commercial de notre maison d'édition —, et nous le vouvoyons, par respect). La réponse est simple : par l'âge, qui devait être au moins égal à un minimum fixé, pour des raisons biologiques et de prudence, à 15, et inférieur à un maximum, placé lui à 59, c'est-à-dire à 60 moins 1 — 60 étant, comme nous l'avons dit, l'âge auquel s'était, intérieurement, arrêté Eusèbe. Mme Eusèbe avait alors 59 ans, soit également 60 moins 1, si nos calculs sont exacts, ce qui fait qu'elle achevait alors d'être Intéressante (et c'était d'ailleurs l'époque de l'arrivée d'Alexandre Vladimirovitch, sur lequel se reporta désormais toute l'affection dont Mme Eusèbe était capable) ; en même temps, comme elle avait, elle, très visiblement continué à vieillir, elle était en même temps évidemment Pas-Intéressante ; ce qui fait qu'étant en même temps, historiquement en quelque sorte, Intéressante, et contemporainement, si l'on peut dire, Pas-Intéressante, elle se trouvait, pour ainsi dire, hors course, ce qui était éthiquement satisfaisant pour Eusèbe.

De 15 à 59 ans, donc, toute femme était Intéressante ; mais Eusèbe avait aussitôt ajouté un deuxième critère, qui introduisait une restriction supplémentaire : celui de la Touristude. Seules les Touristes pouvaient être Intéressantes. Précisons que certaines habitantes du quartier, d'âge adéquat, entraient, bien malgré elles, dans la catégorie décisive IIA (IIA* exactement), étant en quelque sorte assimilées Touristes ou encore Touristes d'honneur. Pour pénétrer plus avant dans cette classification, dont l'intérêt n'échappera à personne, il nous faut nous demander *en quoi* une femme, Touriste de surcroît, pouvait être intéressante. Pour cela, nous allons accompagner Eusèbe dans son examen des candidates, qu'il soumettait à un perpétuel classement.

Quand une touriste se présentait au carrefour, elle entrait dans le champ de vision d'Eusèbe, et il l'accompagnait du regard pour observations, jusqu'à ce qu'elle disparaisse. Si elle avançait sur le trottoir d'en face, il l'examinait de profil. Si elle traversait devant lui, jusqu'à l'autre trottoir (le trottoir d'en face du trottoir d'en face), il l'examinait de face. (Pour qu'elle ne traverse pas trop tôt et ne passe pas derrière lui, l'obligeant à se retourner, il avait disposé de manière dissuasive poubelles et vieux cageots de ce côté-là de l'épicerie.) Enfin, quand elle l'avait dépassé et surtout si elle partait par la rue des Milleguiettes, il l'examinait de dos, et de près. Il se tenait à son poste, debout, les pieds légèrement écartés, le pantalon gris aux genoux incertains couvrant presque les souliers, son tricot vert taché de denrées à la fois épicières et écrasables, fourré tant bien que mal dans le pantalon, la casquette grise de retraité de l'EDF-GDF pas mal de travers.

Son corps était à peu près totalement immobile, à l'exception de la tête qui tournait autour de son axe (que nous appellerons cou) pour accompagner ses yeux, et dans sa tête, relativement à elle, la mâchoire, extrêmement prognathe et pointue et mal rasée, qui montait et descendait métriquement avec un bruit salivaire du plus bel effet autour d'un murmure-grognement indistinct (une phrase, apprise de son grand-père, dont il n'avait jamais connu la signification, et qu'il prononçait pour lui-même exclusivement, en guise de slogan, d'exhortation et de commentaire : « Ça bichebiche mézigue, ça bichebiche beaucoup ! ») ; mais il ne lui regardait pas le visage, non ; mais il ne lui regardait pas les pieds ; il ne lui regardait pas non plus le cou, ni les épaules, et à peine, à peine, les genoux (et seulement s'ils étaient nus). Il suivait exclusivement le mouvement des parties intermédiaires, cuisses, ventre, poitrine et dos, cherchant, en vrai chercheur, à déduire du visible l'invisible bien caché (plus ou moins bien), attentif aux renflements pubiens significatifs, aux absences bénies de soutiens-georges, à certaines étoffes que les lois physiques du mouvement et du frottement favorablement combinées faisaient parfois remonter sensiblement, jusqu'à se coincer entre des fesses, pourvu qu'elles fussent suffisamment pourvues de chair, de fermeté, de netteté et alacrité de forme (l'emploi de la forme grammaticale « fussent » s'est imposée à nous pour des raisons musicales, en dépit de son allure un peu désuète). Il n'omettait jamais de discerner les lignes et marques de bords de slips ou culottes, perceptibles qu'ils sont par gonflement linéaire et localisé du relief. Il guettait tout particulièrement, salivairement pourrait-on dire, les événements paroxystiques : révélations obliques dues à des boutons de chemisiers défaits ; couleurs de toisons révélés par une mini-jupe sans dessous (et spécialement en cas de contradiction possible avec la teinte de la chevelure (et c'était alors seulement que son regard remontait plus haut que le menton)) ; les précisions postérieures, acquises lors d'une inclinaison du sujet pour ramassage d'un objet chu, le faisaient frémir. Il atteignait en ces occasions rares et bénies une sorte d'extase, dont il ne sortait que par une nouvelle apparition, porteuse de nouveaux espoirs.

On voit aisément pourquoi il préférait l'été, et pourquoi il se limitait aux touristes. L'été, fort simplement, parce qu'en cette saison (on peut y inclure le printemps et des morceaux d'automne), pour peu qu'il y eût assez de soleil, les quantités globales de vêtements diminuaient, ainsi que le poids de chacun, ce qui favorisait l'apparition de grandes surfaces libres, les chances de quelques transparences, et même de ces humeurs humides dont son regard se troublait. Sa préférence, d'abord spontanée, puis réfléchie, exclusive et réglementaire (en son règlement intérieur) pour les touristes, avait une origine plus complexe. Son entreprise n'était pas esthétique, et ce n'était pas parce qu'il les trouvait plus belles qu'il réservait aux touristes toute son attention. Son but était la connaissance, c'est-à-dire la classification. Or les autochtones, aguerries depuis leur adolescence aux regards eusébiens, néo-eusébiens ou para-eusébiens qui sont la règle sous nos climats et dans nos grandes villes (et le monde entier nous les envie), leur opposent la cuirasse de la beauté associée à l'élégance, c'est-à-dire la perfection. Mais la perfection est impénétrable. L'imperméable de la beauté protège mieux qu'un suroît. La connaissance, Eusèbe en était pleinement conscient, a besoin de l'imperfection pour débusquer les secrets de la nature. Si le regard veut suivre une jambe sous une robe jusque-là où, dit-on, elle en rencontrera une autre, y a-t-il plus sûr guide qu'un bas filé ?

C'est pourquoi les maladresses vestimentaires, les naïvetés, les indifférences ou tout simplement l'innocence des touristes, spécialement celles des pays où les regards des hommes ne les atteignent jamais directement, donnaient à Eusèbe toutes ses chances : shorts avec larges dépassements de fesses et même de culottes ; couleurs de culottes sombres sous des étoffes claires et pas très opaques ; transparences à la lumière révélant quelque trésor de poils dorés sous des nylons diaphanement émergeant de jupes courtes ; transparences, d'essence si différente, par humidité, lors d'une surprise d'orage, grâce aux reliefs collant aux robes mouillées, effet de fraîcheur et de pluie sur les seins, soulèvements imprévisibles dus aux brises, aux tempêtes. De mai à octobre, les hordes de Suissesses, d'Allemandes, de Hollandaises, d'Anglaises, d'Américaines et même de Japonaises se livraient ainsi sans méfiance aux investigations eusébiennes. Elles en ressortaient généralement assez surprises et même passablement bouleversées.

Il y avait enfin une raison ultime au choix de la touriste : Eusèbe, adoptant sans le savoir la devise du poète : « aimez ce que jamais on ne verra deux fois », désirait que chacune de ses expériences fût unique, une aventure plus ou moins surprenante, plus ou moins intense, un point entre le passé irrémédiablement enfui et l'avenir indéfinissable (il avait horreur, sauf en cuisine, de la répétition) : « On ne regarde jamais deux fois la même touriste dans la rue des Citoyens », disait-il à Mme Eusèbe, afin de l'instruire philosophiquement et qu'elle ne fût point jalouse. « Mais toi, tu es toujours le même, vieux saligaud ! » répondait-elle affectueusement. D'ailleurs, il aurait été bien en peine d'en reconnaître une si, d'aventure, elle s'était avisée de reparaître devant lui. C'est pourquoi, quand il adoptait par erreur une habitante du quartier, c'est qu'il ne l'identifiait pas comme telle et l'oubliait totalement d'une fois à l'autre : « Tu comprends, disait Yvette au père Sinouls, c'est pas tellement qu'il bave après mon cul qui me gêne, après tout, ça commence à être plutôt flatteur à mon âge, mais c'est qu'il ne me reconnaît jamais ! »

Chapitre 2

Hortense

Le matin où commence cette histoire, un des premiers matins de septembre, beau et chaud, j'étais sorti de chez moi un peu avant huit heures. J'étais assez endormi, mon métier m'obligeant à des horaires, plus variables d'ailleurs que nocturnes, auxquels je n'étais pas habitué encore (j'avais débuté récemment).

Je me rendis d'abord chez mon boucher, M. Boillault. J'étais généralement son premier client et la boutique, effectivement, était encore vide et fraîche de quelques bonnes bouffées de chambre froide : parfums à la tête de veau, au persil , à la sciure. J'achetai deux fois trois cents grammes de bavette, un paquet de petits pois très fins surgelés et un sachet de pommes de terre dites nouvelles sous vide, précuites, à plonger dans l'eau bouillante trois minutes environ avant de servir et de manger, écrasées à la fourchette, mélangées d'un peu d'huile d'olive vierge. Je m'assurai ainsi d'une avance de quatre repas, que je compléterai par des petits-suisses aux fruits de chez Mme Eusèbe, du pain et des fruits que j'achèterai plus loin dans la rue des Citoyens. Je prévois toujours mes repas par groupes de quatre, et leur menu est établi selon une permutation circulaire et diététique d'une liste de composants fixes, piacée au-dessus du frigidaire. C'est très simple et ça m'évite de réfléchir, opération détestable entre toutes (particulièrement dans mon métier) et qui surtout prend du temps. Je dîne parfois au boui-boui du coin, à cause de la salade et du céleri-rémoulade (dessert : crème-caramel *ou* ploum), parfois au chinois à cause du gingembre confit et du litchi-sirop : ça met de la variété supplémentaire dans mon régime alimentaire.

M. Boillault est allé une fois chez le Chinois un samedi soir qu'il n'ouvrait pas dimanche matin, avec sa femme, Mme Boillault (Veronica était chez les grands-parents de Thiais), et il a constaté qu'ils ne font vraiment pas la viande comme nous : « Monsieur Mornacier, m'a-t-il dit, pour nous, c'est un bon rumsteck ou une bonne bavette avec des échalotes. Mais des petits bouts, on sait pas de quel animal un peu partout, ça non ! Remarquez, je dis pas qu'ils font pas ça bien, mais quand même ! » Au-dessus de son étal, M. Boillault a placé un tableau de peinture qu'il a trouvé dans le grenier de ses beaux-parents, dans l'Yonne. « Ça a au moins cent ans, ce tableau ! » dit-il fièrement. On y voit un cadavre d'homme étendu sur une table, entouré de messieurs en noir, en habits anciens, avec des instruments pointus à la main dont ils se servent pour inciser le cadavre en différents endroits. M. Boillault est content de son tableau que personne n'admire, à ce qu'il m'a dit, sauf moi. Mme Boillault le trouve « dégoûtant » et dit qu'on ne devrait pas mettre ça sous les yeux de Veronica. Mais Veronica, qui a cinq ans, a bien d'autres soucis en tête : elle pense à conserver sa place attitrée dans le bac à sable du square des

Grands-Edredons, et à la défendre contre tous les autres petits culs qui la convoitent. Mais revenons à notre propos, sinon le Narrateur va nous raconter sa vie.

Une fois servi, je suis sorti de la boucherie et M. Boillault est sorti avec moi sur le trottoir de la rue Vieille-des-Archives, et nous avons regardé ensemble passer sur le trottoir d'en face une troupe de jeunes Scandinaves toutes neuves, frais émoulues de leur Scandinavie et équipées fort succinctement en vue de leurs aventures d'été et de Sud. Si nous avions été beaucoup plus vieux (comme l'Auteur, par exemple), ça nous aurait rappelé avec émotion les premiers petits seins suédois tout nus, aperçus sur les écrans timides au début des années 50, ceux de Bibi Anderson (?) dans *Elle n'a dansé qu'un seul été*, par exemple. Les Scandinaviennes s'étaient arrêtées dans le soleil encore doux et gazouillaient en agitant des guides verts et bleus ainsi que des indicateurs de rues rouges ou bruns, et elles semaient en l'air des consonnes scandinavoises piquées d'innombrables ö et ∅. Tout cela était plutôt agréable et nous les contemplions en silence d'un œil avunculaire, quand nous fûmes désagréablement arrachés à cette contemplation par la voix chlorhydrique de Mme Croche, la concierge du 53, qui rentrait les poubelles de l'immeuble dans leurs niches respectives sous les escaliers A, B, C, D, E et F après le passage des éboueurs : « Du sexbif, hein, comme disent les Anglais ! » A ce moment, la cloche de Sainte-Gudule a commencé à sonner, et je me suis hâté de rejoindre l'épicerie (« eusebwards ! » diraient-ils à Oxford), car la responsable involontaire de mes levers matinaux allait apparaître d'une minute à l'autre.

Eusèbe était déjà installé à son poste dans la rue. Dans la pénombre de la boutique, Mme Eusèbe et Alexandre Vladimirovitch bavardaient avec le père Sinouls, qui était venu acheter les petits-suisses aux fruits du petit déjeuner de ses filles jumelles, Armance et Julie : un à l'abricot pour Armance, qui était rousse, et un à la fraise pour la blonde Julie ; chiasme et dissonance colorée qui me faisaient le même effet strident que la carie d'une fausse note dans l'éblouissante dentition sonore des jeux de l'orgue de Sainte-Gudule, que tenait leur père. (Dans mon métier, il faut savoir placer de belles phrases, c'est pas l'Auteur qui l'aurait trouvée, celle-là !) Le père Sinouls, en effet, était organiste, et athée. En même temps que les petits-suisses, il était venu aussi acheter le fromage et le litre de Valstar de son casse-croûte de dix heures, occasion d'une de ses conversations standard avec Mme Eusèbe :

— Ma pauvre chère dame, ils sont bien plâtreux, vos Coulommiers !

— Ah, monsieur Sinouls, c'est qu'Ils les font tous comme ça, maintenant. Ils m'envoient plus que des pasteurisés. Les autres, Ils se les gardent pour l'exportation.

— Oh, un beau Coulommiers bien fait au lait cru, bien jaune dedans, c'est presque meilleur qu'un camembert, vous trouvez pas ?

— Ah, qu'est-ce qu'on avait encore de bons Maroilles, y a pas plus de trente ans de ça !

— Et un Vieux-Lille !

— Et un bon Puant-du-Nord !

— Tenez, les Brebis de Corse, les meilleurs, c'est quand vous les coupez au couteau et qu'il y a des petits vers qui gigotent dedans.

— Et votre mari, toujours pareil ?

— Toujours pareil, regardez-le, le vieux saligaud !

Alexandre Vladimirovitch prit un air dégoûté derrière ses moustaches. La conversation marqua un temps d'arrêt, une pause rituelle, avant de trouver son second souffle. J'aurais pu m'insinuer dans la brèche pour acheter mes propres petits-suisses aux fruits (framboise et citron, deux de chaque, pas cassis, dont la couleur cardinal ne me disait rien qui vaille), mais je n'étais pas pressé.

Le père Sinouls mit le lait, la bière et les fromages dans son cabas, tout en se demandant quel deuxième topique allait introduire Mme Eusèbe, car c'était son tour. Mme Eusèbe aimait beaucoup ses conversations avec le père Sinouls, car son imagination s'étant arrêtée vers 1950, elle était mal à l'aise avec tous les sujets qui passionnaient ses clients et clientes plus jeunes : la télé, les Arabes, le tennis... Le père Sinouls, lui, était de sa génération, ou presque. Elle avait le choix entre les sujets « de tout repos » comme le précédent. Il y avait : « la jeunesse actuelle ! » ; « qu'est-ce qu'Ils nous préparent ? » ; « ces automobilistes » (avec la variante locale : « qu'est-ce qu'Ils attendent pour nous mettre un feu rouge au carrefour, tenez, pas plus tard que cette nuit, à une heure du matin !... ») ; et il y avait les sujets de controverse, au nombre de deux : « le temps » et « la religion ». On ne trouvera pas surprenant le fait que Dieu et ses représentants sur terre fussent sujets de controverse entre Mme Eusèbe et le père Sinouls, celle-ci étant bonne catholique, de par sa profession, la proximité de Sainte-Gudule, et la croix qu'elle portait depuis que la passion mauvaise, ça l'avait pris à Eusèbe ; celui-là, nécessairement et symétriquement anticlérical à la vieille mode, comme on n'en fait plus. Mais qu'ils s'opposassent sur le temps pourra paraître plus étrange. Cela venait de ce que Mme Eusèbe, de manière très ancienne, avait figé ses remarques introductives sur le sujet dans un moule qu'elle avait adopté à l'époque lointaine des explosions de bombes américaines à Bikini en 1948 (c'était le temps de Rita Hayworth et de *Gilda*) ; sa trouvaille lui avait paru prodigieusement originale à ce moment-là quand, jeune épouse à la fois et jeune épicière, elle s'efforçait de comprendre simultanément les besoins masculins et ceux de la clientèle ; et elle n'avait jamais osé s'en éloigner depuis. S'il pleuvait, elle commençait par : « Il pleut, c'est pas étonnant, avec leur bombe atomique ! » S'il faisait beau, elle disait : « Il fait beau, mais ça va pas durer, avec leur bombe atomique ! » Or, le père Sinouls, grand lecteur de *Science et Vie*, adhérent de l'Union Rationaliste, et admirateur de la méthode expérimentale, estimait les effets des explosions atomiques sur le temps météorologique insuffisamment démontrés, et réagissait toujours vivement à de telles affirmations, ce qui permettait entre eux d'excellents et vigoureux échanges. Stimulée peut-être par l'espèce de bien-être que la température clémente du matin lui procurait, Mme Eusèbe se décida pour « le temps » ; mais elle venait à peine d'ouvrir la bouche qu'Hortense apparut.

Son arrivée à l'horizon d'Eusèbe nous fut signalée par un marmonnement salivaire particulièrement intense. Je me retournai aussitôt et la conversation s'interrompit. Comme Hortense est l'héroïne de ce récit (dont le Narrateur, M. Mornacier, nous préférons le dire tout de suite, pour éviter des confusions dont il ne manquerait pas de se servir à des fins personnelles discutables, n'est absolument pas le héros) une première description s'impose.

La jeune fille qui déclenchait, comme chaque matin, et chaque matin depuis un mois indépendamment de la veille, l'enthousiasme d'Eusèbe (les réactions d'Eusèbe, nous l'avons vu au chapitre 1, étant essentiellement dues à des critères objectifs, d'une pureté sans mémoire, l'uniformité saisissante de sa salivation à la vue d'Hortense prouvait seulement la cohérence de ses décisions, et rien d'autre, puisqu'il ne la reconnaissait pas d'un jour à l'autre), cette jeune fille, disions-nous, qui s'avançait dans la rue des Citoyens, avait environ vingt-deux ans et six mois. Elle était de taille légèrement plus que moyenne, les yeux grands et étonnés, les genoux naïfs, les joues douces. Elle était vêtue *uniquement*, nous soulignons bien uniquement, d'une très minime robe peu couvrante, mais chère et claire, et de souliers parfaitement inadaptés à la marche, mais adéquats aux buts d'Eusèbe, tant ils provoquaient d'écarts brusques et involontaires entre l'étoffe et son corps, tandis qu'elle essayait d'avancer rapidement sur le trottoir. Il suffit, nous aurons certainement l'occasion d'un examen plus complet, plus attentif, et sans obstacle.

La raison de sa rapidité, comme de l'absence (relativement exceptionnelle) de culotte sous la robe d'Hortense était qu'elle était en retard. Pas vraiment lucide, à la suite d'une intervention intempestive et tardive de son réveil, elle s'était précipitée quelques minutes plus tôt, dans son immense appartement, sur la première étoffe venue sous sa main, dans l'obscurité de son imposante garde-robe, sans en vérifier le poids ni l'opacité, et elle allait, entièrement inconsciente des cinq paires d'yeux rivés sur elle, et transmettant à leurs cinq cerveaux respectifs des impressions fort contrastées :

— Le père Sinouls la regardait avec une indulgence bonhomme car elle lui rappelait ses filles, et surtout les petites copines de ses filles, dont un contingent, aux spécimens jeunes, charmants, et à ses yeux dangereusement interchangeables et peu vêtus, se rencontrait à tout moment dans l'hospitalière maison Sinouls. Son litre de Valstar à la main, avec son Coulommiers et ses petits-suisses, prêt à la fraîcheur de Sainte-Gudule suivie d'une bonne conversation de bistrot, il envisageait sans déplaisir la suite de la matinée, et la vue d'Hortense faisait doucement pétiller ses yeux derrière ses lunettes.

— Mon regard à moi était nettement plus troublé : tous les matins depuis un mois (mais pour des raisons strictement différentes de celles d'Eusèbe, et sachant très bien qui je regardais), je m'arrangeais pour me trouver, moi aussi, quelle que fût l'heure de mon coucher la veille, dans l'épicerie, afin de ne pas manquer le passage d'Hortense sur le trottoir d'en face, et c'était la première fois qu'il m'était donné de la voir aussi exactement. J'étais donc troublé, évidemment, par cette vision, mais plus encore par la nécessité impérieuse où je me trouvais, étant donné mes projets professionnels précis qui approchaient d'une période décisive, de *ne pas* tomber amoureux d'elle. C'était une chose décidée, une fois pour toutes, ainsi qu'irrévocablement (ce qui est plus sûr) ; et il se trouvait que la minute de contemplation d'Hortense que je m'accordais tous les matins, loin de m'assurer, par son caractère fixe et limité, une tranquillité parfaite de l'esprit pendant les 23 heures 59 minutes restantes de la journée, comme je l'avais cru, faisait de plus en plus vaciller ma résolution. L'omission d'un bout d'étoffe, pourtant de toute façon ordinairement — autant que je pouvais en juger (peut-être pas avec l'exactitude et la précision d'Eusèbe, mais suffisamment) — minime, ainsi que la précipitation de la marche ce matin-là, avec toutes ses conséquences, créaient une situation extrêmement dangereuse pour mon avenir. C'est pourquoi mon regard était moins serein que celui du père Sinouls, et moins franc que celui d'Eusèbe.

— Mme Eusèbe, elle, était parfaitement indifférente au spectacle. Elle en avait vu passer depuis trente ans, de ces petites. Une de plus, une de moins. De toute façon, comme ça contentait Eusèbe et que ça l'empêchait de venir mettre la pagaille dans les tomates, les riz ou les laits, elle en était plutôt contente. Elle trouvait seulement que cette Hortense était rudement culottée de sortir dans la rue sans culotte avec une robe qui ne cachait à peu près rien. Mais ça ne l'étonnait pas. La jeunesse actuelle.

— Quant à Alexandre Vladimirovitch, il trouvait la conduite d'Hortense moralement dégradante et le tout infiniment ennuyeux.

Hortense disparut dans la rue des Citoyens, accompagnée de cinq paires d'yeux silencieux, d'un claquement de langue conclusif et d'un soupir. Alexandre Vladimirovitch toussa.

Chapitre 3

Alexandre Vladimirovitch

— Vous toussez, Alexandre Vladimirovitch, dit Mme Eusèbe, ça vous apprendra à sortir pieds nus !

Ce reproche, adressé par une épicière à un chat, appelle quelques remarques.

Un matin d'hiver de l'an de grâce 19.., il neigeait. Mme Eusèbe était sortie en frissonnant ouvrir le magasin (Eusèbe, prétextant l'absence vraisemblablement totale de touristes, n'avait pas voulu se lever), quand son regard aperçut devant la porte un coquet panier d'osier, une sorte de berceau richement enveloppé de cysemus pourpre (*cysemus* : sorte de velours précieux poldève. *Note de l'Auteur*), dont l'anse s'ornait d'une faveur rose à laquelle s'attachait, scellée d'un sceau de cire orange, une lettre qu'elle ouvrit après avoir soufflé sur ses doigts gourds pour les réchauffer. La lettre disait ceci :

« Je suis, dans ce berceau, Alexandre Vladimirovitch, fruit d'amours coupables, passionnées et princières. Ma mère, de la suite des Princes Poldèves en visite dans ta ville a fauté avec un noble autochtone et irrésistible. Les plus hautes raisons diplomatiques et dynastiques ont empêché son mariage. C'est pourquoi me voici orphelin et abandonné, confié à tes soins, Bertrande Eusèbe. La bourse ci-jointe, pleine de pièces d'or dalmates et poldèves, pourvoira à mon entretien et à mon éducation, jusqu'à ce que le temps soit venu pour moi de réclamer la place qui m'est due à la cour. Mon régime sera le suivant : du lait tous les matins, mais uniquement du lait Gloria, dans une soucoupe *propre*. De la viande, mais uniquement du filet, haché, et cru. Des harengs de la Baltique à la crème une fois par semaine. Le reste selon mon humeur. Toi, Bertrande, à qui je suis confié, tu seras sensible à cet honneur, et en conséquence tu me traiteras en toutes circonstances avec les égards dus à mes origines et à mon rang futur. En particulier, tu ne m'adresseras la parole qu'en me vouvoyant et tu ne prononceras mon nom qu'en entier. Tout diminutif ou sobriquet, que ce soit Alex, Vladi ou Chabichou est strictement interdit.

Signé : illisible (en poldève).

« P.S. : Ajouter, pour le régime, tous les dimanches, une mouillette d'œuf à la coque avec du bacon, le jaune d'œuf étant maintenu liquide et chaud dans une bouillotte à œuf, appelée *egg-coddler*. »

Dans le berceau, en effet, se trouvait un petit bébé chat, au nez long, légèrement exotique mais noble, la moustache déjà noble également. Il ouvrit les yeux, regarda Mme Eusèbe, et indiqua d'un (léger) miaulement impératif qu'il avait faim. Mme Eusèbe s'empressa.

Elle s'était consacrée dès lors à l'éducation et à l'entretien d'Alexandre Vladimirovitch. Elle avait immédiatement converti l'or poldève en pétrodollars et les avait placés à la caisse d'épargne de la rue Vieille-des-Archives afin qu'Alexandre Vladimirovitch, le jour où il serait appelé à la cour poldève, comme elle ne doutait pas que cela viendrait à advenir, fût en état de tenir convenablement son rang. Et il ne lui était jamais venu à l'idée de désobéir en rien aux instructions précises de la lettre, qu'elle conservait précieusement dans le tiroir de sa table de nuit, avec le portrait de son défunt père, ses notes de blanchisserie, et une réserve de petites pilules Carter pour le foie (tout son héritage). Son obéissance aveugle était due en grande partie, il faut bien l'avouer, à la crainte.

L'auteur de la lettre avait en effet fait preuve, d'une manière véritablement invraisemblable, surnaturelle et peut-être satanique, du fait qu'il connaissait son secret coupable, sa Faute, alors qu'elle l'avait crue effacée à tout jamais des mémoires humaines, depuis la mort du précédent curé de Sainte-Gudule, auquel elle l'avait avouée en confession.

Mme Eusèbe, en effet, s'appelait bien Bertrande de son prénom ; mais *ce n'était pas sous ce nom qu'elle s'était mariée* devant Dieu comme devant les hommes ; elle avait choisi celui, plus conforme, pensait-elle, à sa nature intime, d'Edwige. Et Edwige Eusèbe était officiellement son nom : les bombardements de la Seconde Guerre mondiale, en détruisant, en même temps que sa famille, les registres d'état civil et paroissiaux de sa ville nordique et natale, avaient rendu la substitution indolore et irréfutable pour l'orpheline qu'elle s'était trouvée être, débarquant dans la grande ville par le train et placée comme bonne chez les Eusèbe père, par les bons soins du père Ancestras dans l'église duquel elle s'était réfugiée, après avoir erré tout le jour avec sa valise à la sortie de la gare.

— Comment t'appelles-tu ? lui avait-il demandé.

Et elle avait répondu, sans réfléchir, par une impulsion soudaine venue du tréfonds de son être et de son admiration pour l'actrice Edwige Feuillère :

— Edwige, mon père.

C'était donc Edwige et non Bertrande qu'Eusèbe avait séduite et épousée, après que son père, Eusèbe père, l'eut séduite mais pas épousée. Et voilà qu'après tant d'années d'impunité, le mystérieux protecteur d'un chat poldève avait découvert son coupable secret. Son seul salut était dans l'obéissance absolue aux instructions données. Elle s'y tint.

Alexandre Vladimirovitch grandit. Informé très vite du mystère de sa naissance, car Mme Eusèbe souvent relisait à haute voix la lettre, afin de vérifier qu'elle ne contrevenait en rien aux ordres qu'elle avait reçus, il entreprit d'aménager à son avantage les lieux et circonstances médiocres mais provisoires où le destin l'avait mis. Avec Mme Eusèbe, il se montra ferme et bienveillant, mais distant. Il ne lui consentait que les caresses strictement nécessaires de temps à autre pour le bon fonctionnement de ses facultés de ronronnement. Dès qu'elle tentait d'outrepasser les limites d'une décente affection, sans bouger d'un centimètre, il donnait à son échine une courbure concave tellement accentuée que la main avancée pour la caresse ne rencontrait qu'une ligne creuse sans cesse se dérobant. Et ses yeux verts, en même temps, disaient muettement, certes, mais distinctement :

— Bertrande, souviens-toi !

Et Mme Eusèbe retirait sa main, comme frappée d'une secousse électrique.

En cette fin de son deuxième été, Alexandre Vladimirovitch achevait d'étendre son autorité sur tout le territoire qu'il avait décidé de soumettre, sorte de principauté ou d'enclave poldève en régions barbares : ce territoire englobait le trottoir côté Eusèbe de la rue des Citoyens, le square des Grands-Edredons et les maisons du pourtour, y compris Sainte-Gudule. Après quelques batailles mémorables, il en avait chassé les chats de gouttière et les chats vagabonds ; tous les barons de la région s'étaient soumis, et son autorité n'était plus que très rarement mise en cause par un nouveau venu. Il avait ensuite réduit les chiens à un état de terreur abjecte par des embuscades bien préparées, provoquant une dépression nerveuse chez un doberman, qu'il fallut soigner à coups de psychanalyse et de gigot d'agneau. Le chien de M. Anderthal, l'antiquaire, un très vieux bouledogue, n'osait presque plus mettre une patte dehors. Son effet sur Balbastre, dit Babou, le chien du père Sinouls était particulièrement spectaculaire ; dès qu'il apercevait Alexandre Vladimirovitch, Balbastre s'asseyait sur son arrière-train et se mettait à aboyer d'une manière ininterrompue en imitant le jeu d'orgue qu'on appelle « voix humaine » ; c'était tellement lugubre qu'après avoir essayé de le guérir à coups de pied accompagnés d'insultes comme « chien d'ivrogne ! », le père Sinouls avait dû renoncer à le traîner à l'épicerie et même dans le square. Restaient les oiseaux et les enfants.

Il y avait dans le square, outre quelques buis et fusains négligeables, deux arbres : un tilleul et un arbre de Judée. Le tilleul, situé au-dessus de la fontaine, appartenait aux moineaux ; ils y tenaient leurs assemblées plénières et, en été, prenaient à ses pieds les bains de poussière recommandés par leurs docteurs. Quant aux pigeons, ils s'employaient à salir le plus possible le toit et la façade de Sainte-Gudule, ainsi qu'à maculer le front des amoureux et des philosophes qui venaient s'asseoir sur les bancs. Pour des raisons d'hygiène et de propreté morale, cette situation parut insupportable à Alexandre Vladimirovitch, et il entreprit d'y remédier. Les moineaux furent dispersés rapidement par la peur et s'en allèrent dans d'autres squares ; mais les pigeons, spécialement stupides comme chacun sait, ne comprenaient pas ; il fallut qu'une vingtaine de leurs cadavres dans les caniveaux persuadent la municipalité qu'une épidémie d'origine inconnue atteignait ces volatiles et qu'ils présentaient donc un danger pour les enfants des écoles ; on se décida à les capturer à grands frais à l'aide de filets, de glu, et de grains de maïs soporifiques, et on alla les déverser nuitamment au pied de la cathédrale d'une capitale voisine qui ne comprit rien à cette invasion. Sainte-Gudule fut propre, et Alexandre Vladimirovitch put s'occuper du problème des enfants.

Tous les jours, vers midi et vers cinq heures (et le mercredi pratiquement toute la journée), des hordes d'enfants partaient à l'assaut du square des Grands-Edredons. Les plus petits s'installaient dans le bac à sable, avec leurs seaux, leurs râteaux et leurs pelles, pissaient dans leurs culottes, se mouchaient dans leurs tabliers ou leurs manteaux, s'enfonçaient divers instruments dans le cul, le nombril, les yeux et autres orifices connus et inconnus, réciproquement sous l'œil attendri des mères et pères célibataires ou des grand-mères indulgentes. Les moins petits sifflaient, hurlaient, couraient, sautaient, escaladaient les grilles et les branches, jouaient au foot avec les cartables, les casquettes ou les vieilles boîtes de coca, se soulevaient les jupes, se baissaient les pantalons, s'exploraient dans les culottes, enfin, se livraient à toutes les activités enfantines et éducatoires pour lesquelles les squares ont été spécialement conçus.

Alexandre Vladimirovitch n'avait nullement l'intention de restreindre leurs activités, il désirait simplement qu'elles n'interfèrent pas avec les siennes. Pour cela, dès qu'un nouvel enfant (pas encore dressé ni prévenu) apparaissait dans le square, il s'approchait de lui négligemment, l'attirait le plus loin possible des regards maternels et, quand le malheureux imprudent, n'en croyant pas ses yeux, s'apprêtait avec enthousiasme à lui tirer la queue, à lui brûler ou tailler les moustaches, à lui jeter du sable dans les yeux pour lui prouver son affection, il lui réglait son compte d'un coup de griffe spectaculaire dans le mollet, la fesse ou le pouce, là où ça fait mal et saigne beaucoup, mais n'est pas dangereux. Il y avait une seule exception (il y a toujours une exception) : la jeune Veronica Boillault. Elle, et elle seule, pouvait se permettre de caresser Alexandre Vladimirovitch, ce qui lui donnait évidemment une supériorité énorme sur tous ses rivaux et rivales du bac à sable. Si on avait demandé à Alexandre Vladimirovitch la raison de ce traitement de faveur, il aurait répondu sans doute : « Parce que c'était elle, parce que c'était moi. » Mais il y avait aussi une autre raison, qui sera expliquée en temps utile.

En sortant le premier de l'épicerie après le passage d'Hortense, Alexandre Vladimirovitch hésita un instant. Il avait envisagé une visite au deuxième étage de l'escalier D du 53, pour faire la connaissance de la jeune chatte rousse qui venait d'emménager. Mais une curiosité manifestée aussi rapidement était au-dessous de lui et risquait de donner des idées fausses à la jeune personne. Son allure princière, ses victoires nombreuses et fameuses sur les chats du quartier, le gris-noir un peu bleuté de son épaisse fourrure, sa désinvolture rapide, sa moustache, tout cela rendait ses conquêtes innombrables, aisées, un peu lassantes. Il allait, traînant tous les cœurs de chattes après soi. Mais ses visites dans les appartements situés sur son territoire n'avaient pas que des raisons galantes. Il désirait savoir ce qui s'y passait : un jour, peut-être proche, la situation en Poldévie rendrait son retour désirable, on rechercherait sa trace, quelqu'un viendrait de là-bas, en mission secrète, s'installerait dans le square, dans une de ces maisons certainement, se renseignerait discrètement sur lui avant de se présenter officiellement à Bertrande Eusèbe, il voulait en être averti à l'avance, car peut-être les ennemis agiraient-ils d'abord. C'est pourquoi il entretenait des rapports à la fois familiers et condescendants avec les cuisinières, les femmes de ménage, aussi bien qu'avec les maîtresses de maison. Il frappait aux carreaux, il entrouvrait les volets de la patte, il se glissait dans les appartements par les portes mal fermées. Or, récemment, quelque chose l'intriguait : l'appartement du troisième étage C droite, qui était resté vide dix-huit mois, venait, depuis une semaine, de recevoir un nouveau locataire (à moins que ce ne fût le même, absent depuis plus d'un an et de retour ; il ne se souvenait pas l'avoir jamais vu). Il y avait deux pièces : l'une donnait sur le square, une chambre, l'autre sur la rue Vieille-des-Archives (le 53 de la rue des Citoyens occupait deux des côtés du square).

Il était huit heures et quart. Les rideaux de la chambre étaient encore tirés mais entrebâillés légèrement par la brise (la fenêtre était ouverte) ; ils permettaient à Alexandre Vladimirovitch, qui s'était hissé souplement jusque-là le long d'un tuyau d'écoulement de la gouttière, en équilibre aisé sur la barre de protection, entre une bouteille de lait et une curieuse statuette de terre, à l'allure vaguement orientale, de regarder à l'intérieur : la chambre avait un lit, une chaise, les murs étaient nus, sauf celui du fond qu'une bibliothèque couvrait, coupée par la porte vitrée. Partout dans la pièce s'entassaient des paquets de tailles variables, recouverts de variables papiers d'emballage, des valises, des boîtes ; le contenu de tout cela invisible. L'autre pièce, il le savait (il y était venu la veille), était encombrée pareillement : une table, une chaise de cuisine, un frigidaire marquant seulement la destination différente de la pièce ; la salle de bains, les w.-c., le couloir branchu étaient dans le même état d'encombrement à contenus indiscernables ; tout cela intriguait Alexandre Vladimirovitch au plus haut point. La plupart des livres de la bibliothèque, dont sa vue perçante lui permettait d'identifier les titres, étaient des livres rares : curiosités bibliographiques et bibliophiliques ; éditions princeps ; catalogues de ventes et d'expositions ; prospectus de bouquinistes ; aucune cohérence de titres, d'époques ou de sujets, n'apparaissait.

Le mystérieux occupant des lieux (et Alexandre Vladimirovitch n'était même pas sûr que ce n'était pas un squatter) dormait. C'était un jeune homme de vingt-cinq à trente ans environ, de taille légèrement au-dessus de la moyenne, aux cheveux châtain clair, aux yeux de couleur incertaine puisque fermés, au nez long et fin, signes particuliers néant. Un petit réveil de la marque Kintzle était placé à côté du lit sur une caisse de bière allemande servant de table de nuit. Il dormait nu. Alexandre Vladimirovitch, dont la vie était essentiellement nocturne, avait remarqué tout de suite qu'il se couchait fort tard, ne se levait jamais avant neuf heures, ne recevait personne, pas même de courrier. Il sortait de chez lui à la nuit, sans se faire voir, toujours avec une ou deux valises ou paquets, et rentrait à l'aube, toujours avec une ou deux valises et des paquets, pas nécessairement, autant que lui, Alexandre Vladimirovitch, pouvait juger, les mêmes. Ce jeune homme intriguait Alexandre Vladimirovitch à un point de plus en plus haut. Il ne pensait pas que ce fût un terroriste ; il ne croyait pas vraiment que c'était l'envoyé des Princes Poldèves, ni leur ennemi, car il n'avait pas manifesté la moindre curiosité à propos de félins ; il n'avait posé aucune question à son sujet, n'avait jamais parlé à Mme Eusèbe en ayant l'air de rien, mais peut-être attendait-il l'heure des instructions.

Alexandre Vladimirovitch sauta légèrement dans la chambre. Parfaitement silencieux, il s'approcha d'une des valises posées contre le mur en face du lit, elle bâillait un peu, il jeta un coup d'œil au contenu de la valise, visible dans l'entrebâillement. Il comprit tout. Le jeune homme n'avait pas bougé.

Chapitre 4

Sainte-Gudule

Le père Sinouls sortit sa clé de sa poche et ouvrit la petite porte latérale de l'église, au n° 2 de la rue des Milleguiettes ; il s'engagea dans l'allée avec son cabas, comme chaque matin, sur le chemin qui conduisait à son orgue. A sa gauche, un haut mur le séparait du square ; à sa droite, la Chapelle des Princes Poldèves, prolongée du potager en rectangle long au fond duquel un marronnier s'adossait au corps principal de l'église.

Sainte-Gudule, un des joyaux de l'art gothique, comme la Sainte-Chapelle et le Panthéon est, chacun le sait, une grosse pièce montée avec des morceaux de tous âges, tous styles et toutes époques. Les miracles de la chronologie et de l'architecture qui font les délices des historiens d'art y ont aménagé des pans romans en dessus de maçonneries Renaissance. Elle possède des tombes d'évêques du XIIe siècle et des catacombes avec fresques chrétiennes des premiers âges (contemporains, selon certains, du martyre de sainte Gudule, qui tient une rose au cœur violet teinte de son sang, selon d'autres de l'érection du Sacré-Cœur). Elle a subi des outrages palladiens et, sous l'Empire, un élève de Durand s'est occupé d'elle un moment. Bref, elle a tout, ou presque.

La Chapelle Poldève est une addition récente. Située autrefois près de l'avenue de Chaillot, elle se trouvait menacée de rénovation, d'expropriation, d'alignement et de destruction en faveur d'un urgent parking, quand elle fut sauvée in extremis par le pétrole. C'est en Poldévie, en effet, dans cette région montagneuse et autochtone de notre globe terraqué, peuplée de bandits et de moustaches (souvent présents dans les mêmes corps) qu'a eu lieu, il n'y a pas quarante ans et contrairement à toutes les démonstrations en faveur de l'impossibilité de la chose présentées dans les revues spécialisées (*Archiv der petroleum studies, Annalecta oilia*, etc.) par les géologues allemands, la découverte d'un des plus précieux gisements d'or noir : creusant dans la banlieue de la capitale pour trouver de nouvelles sources thermales, la sonde fit jaillir épais et énergétique, à pleins barils, le précieux liquide ; la Poldévie entrait dans la modernité. Le centre de la nappe se trouve exactement sous la place Queneleieff, au cœur même de la capitale, ce qui oblige les ingénieurs à quelques contorsions, mais il n'empêche !

Les six Princes Poldèves, bien que partisans résolus de la modernisation de la Poldévie, n'en oublièrent pas pour autant le passé. Les abondantes royalties qu'ils percevaient leur permirent de financer aisément le transport, pierre par pierre et salade à salade simultanément, de la chapelle dédiée au malheureux prince Luigi Voudzoï et du potager y afférent dont l'entretien fut confié à un maraîcher de Saint-Mouëzy-sur-Eon.

Le soleil émergeait lentement des brumes matinales et éclairait le carré de sombres, prospères et tendres à la fois laitues, marquant l'emplacement (symbolique) de la fatale chute de cheval qui avait autrefois abrégé la vie de l'infortuné Luigi. Une délicieuse et passéiste odeur de crottin de cheval montait de l'humus fraîchement retourné, légèrement exotique toutefois, les salades du potager, en effet, étant nourries du crottin de petits poneys montagnards poldèves, amenés à grands frais, hebdomadairement et par avion. Le père Sinouls s'arrêta un moment pour humer le nostalgique parfum qui lui rappelait sa jeunesse dans le Gâtinais. Puis il entra dans l'église.

Elle était vide et fraîche. Vide, à l'exception de trois dévotes (deux vieilles et une jeune, une fausse et deux vraies) qui attendaient, sans grand espoir, une des rares visites du père Domernas, le nouveau curé de Sainte-Gudule, depuis la retraite, deux ans auparavant, du vieux père Ancestras. Le père Domernas, par suite des économies imposées par la situation financière de l'Eglise, devait prendre soin simultanément de plusieurs lieux de culte ; il avait un emploi du temps très serré, une bicyclette, et, étant mal à l'aise avec les fidèles, se débrouillait généralement pour n'en rencontrer aucun, et surtout, aucune. En outre, à Sainte-Gudule, il y avait le père Sinouls, et il avait très peur du père Sinouls qui était, comme le diable soi-même, un excellent théologien.

Le père Sinouls aimait beaucoup son orgue : c'était un orgue comme on n'en fait plus, puissant et goûtu à la fois, qui avait échappé par miracle aux actions conjuguées du vieillissement et de la restauration. Louis Marchand, disait-on, y avait joué autrefois. Il était anachronique, parfois grognon, mais superbe. Le père Sinouls l'adorait.

Il posa sa bouteille de Valstar à portée de la main et entreprit de se dégourdir les doigts. Pour cela, il choisit un bon morceau bien mystique, les *Litanies* de Jehan Alain, où il est question de l'âme qui, ayant dépassé le point de non-retour dans la nuit de la désolation, n'a pas d'autre issue que le recours obstiné à l'invocation et l'affirmation de la foi, enfin, c'est quelque chose comme ça, mais surtout ce morceau a un grand avantage, auquel aucun organiste n'est insensible : il fait beaucoup de bruit. Pour le père Sinouls, c'était clair, un orgue, il faut que ça fasse beaucoup de bruit. Sinon, on ne voit pas pourquoi on construisait des églises autrefois, avec tant de pierres très grosses et très épaisses, si ce n'est pas pour qu'elles résistent aux vibrations produites par les Grands-Jeux. L'ambition de tout organiste qui se respecte, son ambition secrète, bien entendu, car c'est une chose qu'on peut difficilement admettre devant les autorités ecclésiastiques qui risqueraient de le prendre assez mal, est d'arriver à faire s'écrouler une cathédrale, comme autrefois les régiments faisaient tomber les ponts.

Le père Sinouls commença les *Litanies* de Jehan Alain. En bas, les trois dévotes (la fausse comme les vraies) manquèrent tomber de leur chaise de saisissement. Telle est en effet la troisième vertu de ce morceau : il fait tomber les dévotes le cul par terre de saisissement, se dit le père Sinouls. C'était cette propriété particulière des *Litanies* que le père Sinouls avait découverte au cours d'un voyage en Ecosse, grâce à un organiste d'Inverness, alcoolique et mécréant, qui avait pris une maîtresse qu'il n'avait pas épousée et on lui avait refusé une augmentation à cause de cette conduite peu presbytérienne et il se vengeait en essayant de provoquer des crises cardiaques dans sa congrégation ; il avait, après un nombre confortable de whiskeys, confié ainsi quelques-uns des secrets du métier au père Sinouls, alors célibataire et débutant : ils n'étaient pas tombés dans l'oreille d'un sourd.

S'étant mis en doigts, en oreilles et en joie, grâce à la réussite parfaite de son « opération réveil », comme il disait, Sinouls entreprit de réfléchir au problème professionnel, et présentement taraudant, qu'il devait résoudre de manière urgente. Il but d'abord la moitié de sa Valstar, rota confortablement, posa le litre de bière, et médita. Un événement considérable allait bientôt se passer à Sainte-Gudule : le bout de la rue des Milleguiettes, long de onze mètres, effectuant la jonction entre la rue des Citoyens et le square des Grands-Edredons (la rue continuait ensuite, après le square, vers d'autres horizons), allait être débaptisé (si nous osons nous exprimer ainsi) et prendrait désormais le nom de rue de l'Abbé-Migne ; cette nouvelle rue, ultra-courte, n'aurait qu'un seul numéro, qui serait le n° 1, lequel serait apposé sur la petite porte latérale par laquelle, vous ne l'avez pas oublié, le père Sinouls venait d'entrer, et qui permettait l'accès direct à la Chapelle des Princes Poldèves. Le projet, déjà ancien, n'avait pu aboutir pendant de nombreuses années, à cause des oppositions alternantes ou conjuguées selon les sessions du conseil municipal du parti laïc et du parti clérical ; et il venait brusquement de passer, grâce à une manœuvre habile de Mgr Fustiger qui avait obtenu l'accord des deux en persuadant chacun, au moyen d'indiscrétions calculées, de l'hostilité prétendument irrémédiable de l'autre. Il n'y avait eu qu'une voix contre, celle d'un conseiller indépendant, indigné par cette entorse scandaleuse aux règles gouvernant la numérotation des rues dans les agglomérations de quelque importance (nous ne connaissons qu'une autre exception, celle de la petite ville de Caunes-Minervois, célèbre par son marbre rosé, où toutes les maisons sont numérotées comme si elles étaient dans une unique rue à un seul côté, suivant un parcours dont la signification déjoue toute tentative d'élucidation). L'unique numéro de la nouvelle rue aurait dû être le 2 et non le 1, comme le prévoyait l'arrêté. Le choix de cet emplacement pour honorer l'abbé Migne sera éclairé en temps utile. L'abbé, comme chacun sait, est l'auteur immortel de la *Patrologie*, recueil en... volumes des œuvres des Pères de l'Eglise, tant grecques que latines et, pour la cérémonie de l'inauguration, le père Sinouls devait composer un programme d'œuvres pour orgue adéquat à la solennité du moment et au caractère propre de la *Patrologie*. Mais il avait beau réfléchir, il n'avait encore trouvé qu'un seul morceau dont le choix s'imposât de façon évidente : le prélude et triple fugue en *si* bémol de Jean-Sébastien Bach. Ce qui l'empêchait, à vrai dire, de se concentrer était l'idée coruscante qu'il ne voyait pas pourquoi on avait fait appel à lui. Il n'avait aucun ami haut placé au conseil municipal, ses supérieurs trouvaient ses opinions scandaleuses, bien que sa vie de famille et privée fût irréprochable : il n'avait pas de maîtresse et il n'était jamais saoul de manière visible en public.

Il but encore un coup de Valstar et décida d'aller boire un autre coup au bistrot d'en face, chez Mme Yvonne. Un grand silence frais régnait dans la nef. Le père Sinouls entendit un bruit de voix dans la sacristie. Tiens, se dit-il surpris, le père Domernas serait donc là ?

Désireux de ne pas rater l'occasion d'une petite controverse théologique sur la prédestination, l'Immaculée Conception ou le problème des Armes Nucléaires, trois sujets sur lesquels il était sûr d'obtenir d'excellentes réactions du malheureux jeune prêtre, le père Sinouls ouvrit la porte de la sacristie ; et il se trouva nez à nez avec Mgr Fustiger.

— Sinouls !

— Fustiger !

Il y avait longtemps, longtemps, qu'ils ne s'étaient pas rencontrés ; depuis leurs années d'étudiants, ou presque.

— Alors, toujours croa, croa ? dit Mgr Fustiger.

— Croa, croa, dit Sinouls.

La carrière de Mgr Fustiger, d'abord simplement rapide, était devenue foudroyante quand, nonce apostolique en Poldévie, il avait réussi à obtenir le retour à la foi catholique de deux des six Princes Poldèves, ce qui représentait pour l'Eglise un accès inespéré à une quantité non négligeable de pétropoldévodollars. Il était tout naturel que, rentré au pays et parvenu à de plus hautes fonctions encore, il fît tout ce qui était en son pouvoir pour honorer dignement la Chapelle Poldève : l'inauguration de la rue de l'Abbé-Migne (et la petite surprise qu'il préparait pour cette occasion) venait à point nommé. En consultant la liste des organistes possibles pour l'inauguration, il était tombé sur le nom de son vieil ami Sinouls, perdu de vue depuis si longtemps mais pas oublié, et c'est pourquoi il lui avait, à la surprise générale et la perplexité de l'intéressé, donné la préférence :

— Croa, croa ! dirent Sinouls et Mgr Fustiger à l'unisson, en se tapant le dos réciproquement avec chaleur.

Le père Domernas n'en croyait ni ses yeux ni ses oreilles, ses genoux en tremblaient. Mais Fustiger avait à faire, et Sinouls avait de plus en plus soif ; il prit rapidement congé après avoir laissé son adresse et rappelé deux ou trois souvenirs qui firent rougir le père Domernas.

— On se fera une bonne bouffe !

La visite de Mgr Fustiger à Sainte-Gudule n'était pas seulement due aux exigences de la préparation des cérémonies. Elle avait lieu dans des circonstances douloureuses et graves, quoiqu'inconnues du public : deux ans plus tôt, lors d'une visite dans notre pays ou plutôt dans notre ville, le jeune prince Gormanskoï (tous les noms des princes se terminaient en « skoï » ou en « dzoï », les noms des princesses en « grmska » (prononcer « groumourska ») ou en « jrmdza » (prononcer « jourmourdza »), l'héritier n° 1 des Princes Poldèves avait *disparu*.

L'ordre de préséance parmi les Princes était modifié à chaque génération, suivant une permutation fixée immuablement depuis le XIIIe siècle, quand les princes d'alors avaient mis fin à leurs sanglantes querelles : le fils aîné du Premier Prince Régnant devenait deuxième dans l'ordre hiérarchique (ce pouvait être la fille aînée et elle devenait alors Princesse Régnante n° 2), l'héritier (ou héritière) du deuxième quatrième, le troisième passait en Sixième position, le quatrième en cinquième et le cinquième devenait second ; quant

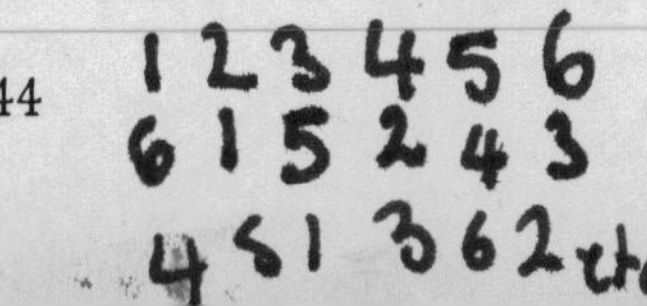

au successeur du Sixième Prince (fille ou garçon), il se retrouvait premier ; de cette façon, comme vous vous en rendrez compte aisément par un petit calcul, cher Lecteur, chaque famille occupait successivement chaque place dans la hiérarchie. L'ordre initial, celui du Premier Prince (Arnaut Danieldzoï), était rétabli au bout de six générations et tout demeurait conforme à la figure emblématique des Poldèves qui est l'hélice, et satisfaisant pour leur animal sacré qui est l'escargot (qui ne devait en aucun cas être chassé dans le carré de salades de la chapelle). En outre, ce qui n'était pas à dédaigner, on avait évité les querelles de succession et les assassinats politiques, ainsi que les vacances de pouvoir (car à chaque passation, les six héritiers devaient prendre, femme ou mari, un conjoint britannique, c'est-à-dire soit gallois, soit anglais, soit écossais, soit cornique, soit manx ou encore irlandais d'Ulster). Le système avait fait ses preuves puisqu'il avait fonctionné huit siècles sans difficultés majeures.

Or, le prince Gormanskoï, qui devait bientôt devenir number one en Poldévie, puisque la succession avait lieu quand le n° 1 atteignait l'âge de 53 ans, avait disparu. Toutes les enquêtes des polices secrètes et privées n'avaient pas réussi à retrouver sa trace. On ne savait pas même s'il était encore vivant. Et le temps pressait. La date choisie pour l'inauguration de la rue de l'Abbé-Migne et la consécration du nouvel emplacement de la Chapelle Poldève par Mgr Fustiger devait précisément coïncider avec le cinquante-troisième anniversaire du Premier Prince actuel et la mise en mouvement, selon le rituel (et la Grande Course d'Escargots qui avait, disait-on, donné à Arnaut Danieldzoï l'idée décisive), du processus institutionnel de succession.

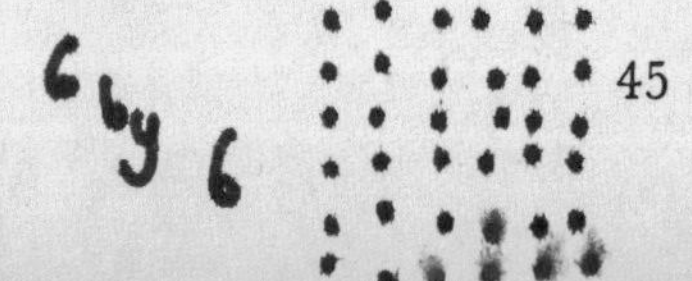

L'absence du jeune prince risquait d'avoir les conséquences les plus fâcheuses pour la stabilité de la Principauté et l'Equilibre des Forces à l'Echelle Mondiale. Et voilà que des informations nouvelles acquises par hasard étaient venues à la connaissance de Mgr Fustiger : le prince Gormanskoï aurait, disait-on, été aperçu dans le quartier, précisément, de Sainte-Gudule, et Mgr Fustiger était venu demander au père Domernas d'ouvrir l'œil ou plus précisément les oreilles, de prêter la plus grande attention aux indices même minimes qu'il pourrait recueillir dans la conversation de ses paroissiens ; car si la nouvelle était exacte, il était impensable que quelque chose ne filtre pas ainsi jusqu'à lui. Son espoir, qui aurait, réalisé, définitivement assuré l'avenir de l'Eglise catholique, apostolique et romaine en Poldévie au détriment de ses rivales (un des Princes Régnants était anglican, un autre orthodoxe, un cinquième agnostique et le sixième, à ce qu'on disait, ordinateuriste), était de découvrir le jeune prince avant la date fatale, le persuader de revenir dans son pays assumer toutes les responsabilités de sa charge, et de le révéler, spectaculairement, devant les corps constitués et les princes présents, au cours même de la cérémonie. C'est pourquoi, malgré le plaisir qu'il aurait eu à agiter de vieux souvenirs avec le père Sinouls, il ne s'était pas attardé avec lui. Il ne pouvait pas se douter qu'il venait de passer à côté d'une occasion unique de se rapprocher de la solution de l'épais mystère.

Chapitre 5

La Terreur des Quincailliers

Le *Gudule-Bar*, le tabac en face de Sainte-Gudule, côté Grands-Edredons, était à peu près vide quand j'entrai : les premiers clients, les lever-tôt, étaient déjà partis vers leurs boulots respectifs et les autres n'avaient pas encore mis le nez dehors. Mme Yvonne, la patronne, m'apporta elle-même mon grand crème bien blanc et pas trop chaud, mes deux croissants et le journal. Le titre complet du journal, maintenant unique dans la ville pour des raisons d'économie de papier et de pensée, était :

Le Coiffeur à l'Aube de la Délivrance Chaque Jour dans la Capitale Sans Joug pour tous les Hommes.

Ce titre était le résultat des absorptions successives de chacun des six journaux qui se disputaient autrefois les maigres lecteurs par le plus puissant d'entre eux ; le titre avait ainsi grandi démesurément par agglutination génitive, chaque journal avalé, dans un sursaut ultime de dignité, ayant obtenu cette trace de son existence avant de disparaître définitivement. Il était relativement difficile d'entrer chez un marchand de journaux et de demander d'une seule émission de voix :

« *Le coiffeur à l'aube de la délivrance chaque jour dans la capitale sans joug pour tous les hommes*, s'il vous plaît ». Aussi l'appelait-on, plus simplement et plus brièvement : le *Journal*.

Et voilà que ça y était, en pleine première page, le titre attendu :

La Terreur des Quincailliers a encore frappé.

Au-dessous du titre, une photo totalement floue représentait ce qu'on pouvait supposer être une quincaillerie, mais ça ressemblait plutôt à un monument aux morts et c'était peut-être en fait la basilique Saint-Pierre de Rome ; on ne voyait pour ainsi dire rien ; la photo occupait la quasi-totalité de la première page, et en dessous, il y avait cette simple légende : lire la suite en page 8 de notre envoyé spzxiam. La page 8, vers laquelle je me tournai immédiatement, était entièrement consacrée aux nouvelles internationales, réparties en rubriques disposées selon l'ordre alphabétique des pays concernés : Adélie, Afghanistan, Alabama, Andorre, Atlantide... comme on fait maintenant dans les journaux ; il n'y avait rien dans cette page 8 qui, de près ou de loin, pût être considéré comme se rapportant à la nouvelle annoncée par le titre de la première. Je ne me laissai pas distraire par un sous-titre alléchant : *La fille du Grand Mogol rue dans les brancards*, et je conclus qu'il devait y avoir une erreur de numérotation, que le 8 devait être un 6 ou encore un 9, et en effet, page 4, il y avait la suite de l'article : « La Terreur des Quincailliers » (suite de la page 7) :

« Il était vingt-trois heures cinquante-neuf (vingt-trois heures cinquante-huit, selon d'autres témoignages) hier au soir, 4 septembre..., dans la rue paisible... du quartier... de notre ville quand (lire la suite en page 3). »

Page 3 (où par extraordinaire se trouvait effectivement la suite), l'article avait été composé astucieusement à l'envers, de bas en haut, ainsi qu'en boustrophédon, ce qui fait que je crus un moment qu'il était écrit en poldève ; cependant ma formation professionnelle reprenant le dessus, je fus rapidement en mesure de déchiffrer ce qui suit :

« ... Les époux Lalamou-Bêlin, quincailliers, propriétaires de la quincaillerie sise au n°... de la rue susnommée, venaient de se retirer dans la chambre à coucher de l'appartement qu'ils habitent au-dessus de leur magasin, quand ils furent soudain frappés d'une terreur abjecte par l'épouvantable vacarme qui se fit vraisemblablement entendre à l'étage en dessous.

« Mme Berthe Lalamou-Bêlin dit "Mon Dieu !" et M. Gustave Lalamou-Bêlin, son époux, dit "Merde !", mais en dépit de cette divergence d'expression, tous deux venaient d'avoir la même pensée : ils étaient désormais la trente-sixième victime de l'audacieux criminel qui sévit depuis dix-huit mois dans notre ville, déjouant les efforts colossaux de la police lancée à ses trousses, celui qu'on appelle maintenant "La Terreur des Quincailliers". "Il n'y a aucun doute, a dit l'inspecteur Blognard à notre envoyé spécial, c'est bien lui !" L'inspecteur Blognard, qui a pris personnellement en main l'enquête depuis le septième attentat il y a un peu plus d'un an (voir *Le Coiffeur à l'Aube de la Délivrance Chaque Jour dans la Capitale Sans Joug pour tous les Hommes* du 14 juin...), est arrivé sur les lieux moins d'une demi-heure après le coup de téléphone angoissé de M. Lalamou-Bêlin. "C'est bien lui. Pas de doute. Même heure. Même méthode." Telles sont les propres paroles de l'inspecteur Blognard, prononcées en exclusivité pour nos lecteurs (il s'agit (*note de l'Auteur*) des lecteurs du *Journal* mais nos propres lecteurs peuvent aussi en prendre connaissance). La quincaillerie Lalamou-Bêlin, en effet, offre le spectacle de désolation (voir photo en première page) auquel nous sommes maintenant tristement habitués. Comme d'habitude, les indices semblent à la fois surabondants et maigres... »

J'arrêtai là ma lecture. J'aurais pu terminer l'article les yeux fermés : comme toutes les autres fois (35), le criminel s'était certainement introduit dans le magasin peu après la fermeture, déjouant tous les pièges et systèmes d'alarme, dès que les époux Lalamou-Bêlin s'étaient retirés dans leur appartement pour leur bavette-échalote et télévision du soir. Procédant avec la méthode et le silence diaboliques dont il avait fait preuve depuis le début (pas un bruit n'avait attiré l'attention des malheureuses victimes, pourtant sur leurs gardes comme l'étaient désormais tous les quincailliers de la ville), il avait été fidèle à sa manière habituelle : il avait répandu sur le sol tous les produits d'entretien, versé de l'Ajax javellisant sur les papiers hygiéniques, arraché les poils de tous les balais, fait fondre les bougies, mélangé les cirages, prenant soin, comme toujours, de séparer méticuleusement les produits de couleurs différentes de façon à créer une sorte d'arc-en-ciel orienté sud-ouest nord-est. Ce n'était qu'au quatorzième attentat, grâce à la perspicacité phénoménale de l'inspecteur Blognard, que ce troublant indice avait été découvert (et l'inspecteur avait vérifié, sur les photos en couleur de l'identité judiciaire, qu'il en avait sans doute été ainsi dès le début). Il avait, comme toujours, travaillé vite et efficacement à sa sinistre besogne. Enfin il avait, comme chaque fois, suspendu au plafond une série de casseroles, vraisemblablement encore disposées en spirale. Une minuscule charge explosive, minutieusement réglée pour exploser juste avant minuit, avait provoqué la rupture de la corde maintenant la figure casserolière, créant ainsi le vacarme terrifiant et caractéristique qui avait révélé aux époux Lalamou-Bêlin leur malheur. Apparemment (et sous réserve d'inventaire), rien n'avait été volé.

On se perdait en conjectures sur l'identité et les buts du criminel (et on n'était même pas sûr qu'il s'agissait d'un criminel unique, et pas d'un gang). L'inspecteur Blognard avait affirmé de la manière la plus décidée qu'il s'agissait d'un criminel agissant seul, mais nul ne savait sur quels indices il fondait cette conviction (qui, je dois le dire, était également la mienne). Au début, on avait pensé à un racket, mais cette hypothèse s'était vite révélée insoutenable, les bénéfices de la petite quincaillerie ne justifiant nullement de tels efforts de la part de gangs organisés. Pas la moindre trace non plus de trafics auquels auraient pu se livrer certains des membres les moins assurés de l'honorable corporation des quincailliers. La plupart des observateurs pensaient qu'il s'agissait d'un fou, d'un fou habile et minutieux ; ce n'était pas l'avis de l'inspecteur. Le public était partagé, mais tous suivaient avec curiosité la lutte implacable à l'issue incertaine que se livraient l'inconnu et l'inspecteur Blognard, le plus célèbre de nos policiers. L'inspecteur avait mis sa réputation en jeu et toute sa sagacité dans la bataille. Les primes d'assurance pour les quincailleries avaient doublé. Cependant, le temps passait et apparemment l'enquête policière piétinait. Les attentats anti-quincailliers se produisaient à des intervalles irréguliers hélas, mais à raison d'un toutes les deux semaines en moyenne. Tous les quartiers de la ville étaient frappés ; dans tous les cas, il s'agissait de petits magasins, dans des rues tranquilles et un peu isolées ; personne n'avait jamais pu donner la moindre description utile d'un suspect. Le malfaiteur se jouait des serrures, il travaillait sans bruit, il disparaissait comme une ombre impalpable dans l'obscurité des ruelles, son forfait accompli. Une minute avant minuit, le vacarme des casseroles annonçait son passage. L'inspecteur Blognard arrivait avec son fidèle adjoint. Il regardait, serrait la mâchoire, prononçait quelques phrases brèves pour la presse et la télévision, gardait son calme. Mais on le sentait néanmoins de plus en plus nerveux. Il n'avait annoncé aucune arrestation proche, aucune piste prometteuse. Il venait, regardait, rentrait dans son bureau, défaisait nerveusement une nouvelle réglisse *Callard and Bowser's* en emballage de papier argenté à bandes obliques noires, commandée spécialement chez *Fortnum and Mason's* par un collègue de Scotland Yard, — son seul vice —, la mangeait, froissait le papier d'argent, le jetait dans la corbeille à papier (la manquant de plus en plus souvent), se plongeait à nouveau pour la centième fois dans le dossier. Le pays retenait son souffle. Il semblait bien que l'illumination ne venait pas, que, pour la première fois de sa carrière, l'inspecteur était, osons le dire, *dépassé par les événements !*

Je refermai le *Journal* et le rendis à Mme Yvonne. Le café commençait à se remplir et les conversations, bien entendu, tournaient principalement sur les événements de la nuit. Je ne les écoutais guère, car j'étais dans un état de fébrilité intense. C'était un moment décisif pour moi, décisif pour ma carrière, pour mes ambitions. J'avais réfléchi, je m'étais livré à certaines vérifications, j'avais fait certaines hypothèses et déductions, j'étais à peu près sûr de leur justesse, mais cela ne suffisait pas ; une deuxième condition devait être remplie, sur laquelle je ne pouvais pas agir. Et, en fait, si l'événement que j'attendais ne se produisait pas bientôt, ce matin même, et ici, mes chances tomberaient d'un seul coup à presque rien, et il me faudrait recommencer à zéro. D'ailleurs, dans ce cas, cela signifierait que le mystère de la Terreur des Quincailliers ne serait sans doute jamais résolu. J'étais tellement tendu et préoccupé que je laissai mon croissant se déliter dans ma tasse avant de m'en rendre compte, ce qui était mauvais signe : je trempe toujours mon croissant dans mon grand crème, mais juste un peu, afin qu'il soit séparable en bouchées humides mais encore fermes ; et je ne dis même pas bonjour à Alexandre Vladimirovitch qui, exceptionnellement, se trouvait dans le café ce matin-là. Comme je sens que vous êtes vous-mêmes dans un état de grande impatience, que vous brûlez de connaître le sens de mes paroles sibyllines (et comme d'ailleurs l'Auteur ne me laissera pas vous faire attendre plus longtemps) je ne vais pas vous faire attendre plus longtemps ; je vais vous dire ce que j'avais découvert.

J'avais découvert quelque chose, en effet, vous l'avez deviné, concernant le mystère de la Terreur des Quincailliers. Mais avant de vous révéler ma découverte, il est nécessaire que je précise ma position : je suis journaliste, mais, journaliste débutant à l'époque, l'enquête « Quincailliers » n'entrait pas du tout dans mes attributions et je ne m'y étais intéressé, comme tout le monde, que de manière épisodique et distraite, pendant les premiers mois. Et puis, un mois environ avant le moment où je suis entré dans le *Gudule-Bar*, moment qui est le moment présent de mon récit, j'eus une idée, qui me sembla éblouissante. En application de cette idée, après beaucoup d'efforts, je réussis à obtenir un entretien. Cet entretien, apparemment, fut un échec. Pour sauver mon idée, pour corriger cet échec, il me fallut trouver une autre idée (point indépendante, on le verra, de la première). Je passai beaucoup de nuits d'insomnie, mais je trouvai. Voilà comment j'en vins à formuler mon hypothèse. Je ne disposais d'aucun renseignement particulier autres que ceux qui étaient à la portée du public, c'est-à-dire ceux qu'avait publiés la presse. Je lus tout. Dans cette masse documentaire généralement vide, je retins deux choses : la liste de toutes les quincailleries atteintes par le criminel, la collection de toutes les photos en couleur de l'état des lieux après les attaques, prises et publiées par les soins d'un hebdomadaire qui les avait offertes à ses lecteurs. Je pris huit jours de congé, je m'enfermai chez moi avec ces documents et je réfléchis six jours et six nuits. Je trouvai.

Le nombre des victimes était alors de 34. En disposant, au moyen de petits drapeaux, les 34 quincailleries frappées sur le plan de la Ville, je vis de manière aveuglante que le criminel avait décrit un parcours en spirale ; cette spirale était très nette et chaque fois, il avait choisi la quincaillerie la plus proche du tracé de la spirale ; plus précisément encore, il se dirigeait, à

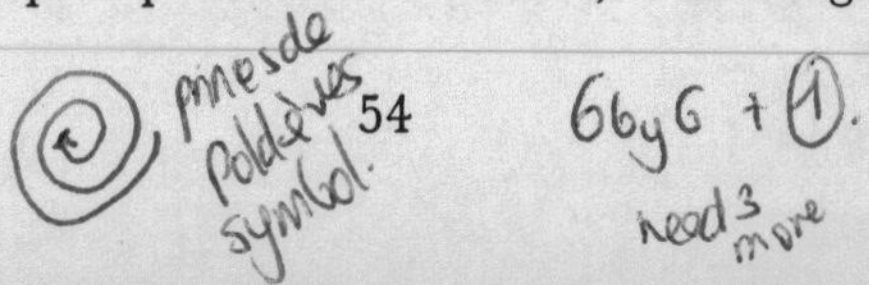

rebours, vers le centre de la spirale. Faisant un dessin aussi précis que possible de cette spirale, je vis, sans doute possible, qu'il se dirigeait vers le square des Grands-Edredons. J'entrepris alors de recenser les quincailleries qui se trouvaient dans le quartier, sur le trajet de la spirale. Quelques jours plus tard, la Terreur des Quincailliers frappa pour la trente-cinquième fois ; et la quincaillerie visée était l'une des trois que j'avais notées comme possibles sur mon plan. Mon hypothèse était confirmée. Un calcul simple de distances et de progression me montra :

1. qu'il devait encore y avoir une quincaillerie attaquée,
2. que ce serait la 36e et dernière,
3. que les malheureuses victimes devaient nécessairement être les époux Lalamou-Bêlin.

Je me trouvai alors devant un dilemme : si je révélais ce que je savais, je risquais de ne pas être cru ; pire encore, de détruire l'effet que j'espérais obtenir de ma découverte qui était, bien plus que la solution de l'énigme, l'effacement de mon échec initial. J'hésitai une dizaine de minutes, et finalement ne fis rien. Et voilà que ma prédiction s'était trouvée vérifiée. Mais j'avais trouvé autre chose (de plus important encore à mes yeux) : en comptant, sur les photos des boutiques sinistrées, les casseroles qui étaient tombées à terre, et en tenant compte de quelques variations dues à la qualité des clichés et aux bonds imprévisibles de quelques casseroles hors du champ de vision de l'appareil dans un cas, je découvris que leur nombre était très vraisemblablement toujours le même, et *que ce nombre était 53* ; ce qui voulait dire que le parcours en spirale du criminel le conduisait au 53 de la rue des Citoyens, dans la maison même que j'habitais !

J'achevai mon croissant, je bus mon crème. Neuf heures venaient de sonner à l'horloge de Sainte-Gudule. La porte du *Gudule-Bar* s'ouvrit. Deux hommes entrèrent. J'avais gagné.

Peut-être !

ridiculous to storyline – enthused with mathematical conundrum.

Chapitre 6

Où l'inspecteur Blognard n'est pas fâché de l'occasion qui lui est donnée de s'expliquer enfin sur ses relations avec le Narrateur

Six mois environ avant les événements rapportés dans le précédent chapitre, j'étais assis à mon bureau. C'était une quelconque journée du milieu de l'hiver, une de ces journées sans couleur, en gris et blanc, de celles que j'appelle les journées administratives, parce qu'on a l'impression qu'il ne peut rien arriver d'intéressant dans une atmosphère aussi terne et que, par ennui, on n'a envie que de mettre à jour des dossiers, d'en finir avec des rapports qui traînent depuis longtemps, d'expédier obstinément, mais sans entrain, de la besogne courante. Il était environ dix heures du matin. Mon rapport était fini depuis près d'une demi-heure, et il avait été court : trois jours plus tôt, rue..., la Terreur des Quincailliers avait frappé pour la vingt-troisième fois ; et, comme d'habitude, il n'y avait pratiquement rien à ajouter à mes rapports précédents, rien, pas un indice. J'avais terminé mon rapport, et je n'étais pas d'excellente humeur. Je venais d'ouvrir nerveusement un nouveau paquet de *Callard and Bowser's* et j'étais en train, nerveusement, de m'escrimer avec l'ongle du pouce gauche sur l'enveloppe transparente d'un des huit parallélépipèdes de réglisse qu'elle contenait, quand la sonnerie du téléphone intérieur résonna.

— C'est vous, Blognard ? Vous voulez passer chez moi un instant ?

Il n'y avait rien là de surprenant. Chaque jour, ou presque, il arrivait au grand patron de m'appeler une ou plusieurs fois dans son bureau, en dehors du rapport : je le connaissais depuis l'enfance, il avait souvent passé ses vacances près de chez nous, dans la N., et il avait été un ami de mon père. Le jour était si terne, ce matin-là, que la lampe à abat-jour jaune était allumée sur son bureau. A côté de celui-ci, dans un fauteuil, je vis un jeune homme qui se leva pour me tendre la main quand on nous présenta l'un à l'autre.

— L'inspecteur Blognard. Monsieur Mornacier, journaliste...

— Pas journaliste, romancier, protesta le jeune homme en souriant.

— C'est ça, journaliste d'obligation, mais romancier d'espérance. Monsieur Mornacier, qui est le fils d'un vieil ami à moi, aimerait, pour son roman, suivre d'un peu près une de vos enquêtes. Si ça ne vous dérange pas trop, bien entendu.

Je ne jetai qu'un coup d'œil au jeune homme, qui devait avoir dans les vingt-quatre ans, qui était maigre, et dont le moins que je puisse dire est qu'il ne paraissait douter de rien — et certainement pas de lui-même. Je n'étais pas enchanté, enchanté, mais enfin je n'avais pas vraiment le choix, après une telle introduction. Je me dis que j'allais lui coller l'affaire de la bijouterie, qui était pratiquement résolue, déjà, et j'en serais débarrassé en quelques jours. Je grognai vaguement à travers le bâton de réglisse et je le priai de me suivre dans mon bureau.

— C'est ça, dit-il, c'est par là qu'il faut que je commence, le bureau du célèbre inspecteur Blognard .

Je souris en moi-même ; car le hasard voulut qu'à cette époque les ouvriers fussent occupés à réaménager mon bureau. Et j'occupais provisoirement, à l'entresol, un ancien bureau du plus vieux style administratif, poussiéreux à souhait, avec des meubles en bois noir et un poêle à charbon du modèle qu'on voyait encore il y a trente ans dans certaines gares de province. C'était le bureau où j'avais fait mes débuts, où j'avais travaillé pendant une quinzaine d'années comme inspecteur, et j'avoue que je gardais une certaine tendresse à ce gros poêle dont j'aimais, l'hiver, voir la fonte rougir.

— Asseyez-vous, monsieur... ?

— Mornacier, i-e-r. Quel merveilleux endroit totalement anachronique, ajouta-t-il aussitôt avec enthousiasme ; ça fait 1927-1928 en plein ! Je n'en espérais pas tant. Mais, inspecteur Blognard, dit-il avant que je puisse ouvrir la bouche pour mentionner l'affaire de la bijouterie, je vous préviens tout de suite, il n'y a qu'une chose qui m'intéresse, c'est la Terreur des Quincailliers !

Assez ! Assez ! Assez ! Le rôle du Narrateur est de dire « je » et de raconter ce qui lui arrive comme l'Auteur a décidé que ce qui lui arrive doit être raconté quand ça lui arrive (ou plutôt, d'ailleurs, après que ça lui est arrivé). Le Narrateur n'a en aucun cas à se substituer à l'Auteur, à se mettre dans la peau d'un autre personnage de l'histoire pour se donner la vedette, en plus ! Comment voulez-vous que le Lecteur s'y retrouve ? Par-dessus le marché, copier pratiquement toute la scène dans un autre roman ! Si c'est ça que le Narrateur imagine être la tâche du romancier, ça promet pour la littérature française ! Nous reprenons donc, mais c'est maintenant, comme il se doit, le Narrateur qui parle et dit ce qu'il doit dire, en son nom propre.

La réaction de l'inspecteur Blognard fut extrêmement défavorable, je le vis tout de suite ; il ne dit d'abord rien ; il me regarda aimablement et tranquillement tout en mâchant une de ses célèbres réglisses. Puis il parla enfin :

— Non, monsieur Mornacier, non ! La Terreur des Quincailliers, non !

J'avais échoué ; je me levai aussitôt pour sortir ; mais je devais avoir un air tellement abattu et pitoyable après l'assurance (purement factice et nerveuse, je suis naturellement extrêmement modeste et réservé) dont j'avais fait preuve dans le bureau du grand patron, qu'il eut comme un soupçon de remords et il ajouta :

— Ecoutez, jeune homme, c'est une enquête difficile, la plus difficile sans doute de toute ma carrière. Je ne veux personne sur mes talons, comprenez-moi bien : je ne peux pas ! Mais je vais vous faire une proposition : trouvez-moi une idée sur l'affaire, *une idée valable et que je n'aurais pas eue*, une seule, et revenez me voir. Si votre idée tient debout, alors vous pourrez suivre toute l'enquête. N'est-ce pas une proposition honnête, ça ?

Il me tendit la main, et je sortis du bureau. Il était sûr que je n'y remettrais jamais les pieds ; ça se sentait à sa poignée de main et à son regard ; il m'avait déjà pratiquement oublié ; il avait eu un remords à cause de ma déception et de la recommandation du grand patron, puis il avait eu un remords dans son remords, et il avait ajouté au dernier moment la clause qui m'éliminait définitivement à ses yeux : « ... *et que je n'aurais pas eue* ». Je me retrouvai sur le trottoir, pas plus avancé qu'une heure auparavant ; pire, j'avais reculé. Ma brillante idée professionnelle venait vraisemblablement de me claquer entre les doigts.

J'avais débuté, il y avait un an à peine, dans le grand quotidien d'une métropole provinciale et maritime et j'étais depuis peu attaché à l'antenne de la rédaction du journal dans la Ville. Mon projet, car je ne désirais pas rester longtemps dans l'état de subalterne inintéressant où je me trouvais, était double : accompagner l'inspecteur Blognard dans son enquête, être là pour les moments décisifs, et en même temps (je n'avais pas menti au grand patron) écrire un roman, le premier roman d'une série dont le héros serait l'inspecteur (ou plutôt, bien sûr, un personnage fictif dont la description emprunterait beaucoup au Blognard réel) et qui ferait ma gloire et mon succès.

L'affaire de la Terreur des Quincailliers, avec l'intérêt passionné que son énigme suscitait dans le public, m'avait paru l'occasion rêvée et, brûlant les étapes, j'avais agi pour obtenir cette entrevue où se jouait mon avenir. Et voilà que, trompé par l'image que donnaient de l'inspecteur les journaux, je n'avais pas compris qu'en fait, il mettait son métier bien au-dessus de la célébrité, et que ma belle idée s'était révélée une chimère. J'eus tout d'abord un moment d'intense découragement. Mais je me ressaisis aussitôt. Il me restait une chance ; si je trouvais l'idée décisive réclamée par l'inspecteur, non seulement mon échec serait effacé, mais je m'assurerais la meilleure situation possible pour mon projet ; conquérir l'estime de Blognard, c'était la seule manière de l'atteindre, de l'amener à parler enfin, à révéler le secret de sa méthode, celle qui avait fait de lui le plus extraordinaire limier du siècle ! Je me mis au travail avec acharnement.

J'avais trouvé une idée (je vous ai dit laquelle), mais si j'étais certain qu'elle était valable (et cette certitude, intime d'abord, venait d'être rendue extime par la justesse de ma prévision du trente-sixième attentat), ce dont j'étais moins sûr, c'était de son caractère suffisant pour obtenir l'estime de Blognard et son acceptation de ma présence. Son entrée dans le *Gudule-Bar* montrait qu'il l'avait eue, lui aussi, mais il me fallait quelque chose de plus qu'une idée valable ; il fallait quelque chose qui lui ait échappé ; je ne pouvais pas être certain de cela, bien que je disposasse d'une candidate-idée dont je ne vous ai pas encore fait part. Or, le temps pressait, puisque le criminel, si je ne me trompais pas, était arrivé au bout de sa spirale diabolique et risquait de disparaître. L'inspecteur Blognard et son compagnon s'étaient assis au fond de la salle. Je me levai et allai vers eux.

— Inspecteur...

Il me regarda, et je vis que je ne m'étais pas trompé sur le sens de sa proposition, car il ne me reconnaissait pas ; or, l'inspecteur Blognard avait une mémoire fabuleuse, phénoménale, infaillible, ce qui veut dire qu'il oubliait tout ce qui ne se rapportait pas à ses enquêtes, tout ce qui ne pouvait lui servir en rien dans sa recherche du criminel ; qu'il m'ait oublié voulait donc dire qu'il pensait que je ne serais jamais capable de trouver quelque chose d'utile et qui lui aurait échappé.

— Inspecteur, vous ne vous souvenez pas de moi, je suis venu vous voir il y a six mois, je voulais suivre votre enquête sur la Terreur des Quincailliers, vous m'avez dit alors : revenez avec une idée, une idée valable et que je n'aurais pas eue. Je suis là et je crois que j'ai ce qu'il vous faut.

L'inspecteur Blognard me regarda une seconde fois.

— Asseyez-vous, dit-il simplement ; je vous écoute.

Je m'assis et je dis tout, très vite : la spirale, le parcours, le centre, la prévision du trente-sixième attentat, les casseroles, leur nombre, le 53 de la rue des Citoyens. Je m'arrêtai ; c'était la première partie de mon jeu ; je ne pouvais pas vraiment espérer qu'il y avait là quelque chose que le grand Blognard n'avait pas découvert, ou déduit. Il m'avait écouté sans m'interrompre mâchant une de ses sempiternelles réglisses, l'air presque complètement endormi et inattentif. Quand je m'arrêtai, il me regarda avec peut-être une légère estime (je n'en aurais pas juré) mais il dit seulement :

— Je sais.

— Pardon, patron, dit son compagnon, qui était assis en face de lui et qui n'avait pas non plus ouvert la bouche jusque-là, pardon, patron, vous croyez savoir.

— Arapède, laisse ce jeune homme continuer, car je ne me trompe pas, jeune homme, vous n'avez pas terminé. Vous vous doutez bien, si vous êtes parvenu à ce point dans la déduction du mystère, que je le sais, et que selon notre convention, votre savoir est inutile si vous n'avez pas *autre chose*, de certain ou de probable également, et que j'ignore. Vous ne savez pas si je ne sais pas, mais vous l'espérez, n'est-ce pas ? Alors, qu'est-ce que c'est ?

Je ne pouvais plus reculer.

— Eh bien voilà, dis-je. Je me suis promené longuement sur les lieux des crimes, tout autour de chacune des trente-cinq quincailleries déjà attaquées, et j'ai découvert ceci : dans chaque cas, sur un mur nu, situé à moins de cinquante-trois pas du magasin, quelqu'un, au moyen de peinture noire, a représenté la silhouette d'un homme, debout, en train de pisser. Ce n'est pas une œuvre d'art, la silhouette est très grossière, mais on ne peut cependant s'y tromper, il s'agit bien d'un homme noir, qui pisse. Or, aucune de ces silhouettes n'apparaît, à ma connaissance, sur d'autres murs de la ville. Je ne suis pas allé partout mais j'ai beaucoup, beaucoup marché dans les rues et jamais je n'ai trouvé de telle « peinture murale » ailleurs. En second lieu, quand, selon le raisonnement auquel nous avons été conduits ensemble, j'ai prévu l'attentat contre la quincaillerie Lalamou-Bêlin, celui qui vous amène ici, j'ai examiné les lieux, et les environs, et j'ai vu, ce dont je ne pouvais me rendre compte auparavant, et pour cause, que les « peintures » précèdent les attentats, *puisqu'il y en avait déjà une la veille*. Enfin, qu'il va se passer quelque chose — de différent, puisque c'est un endroit sans quincaillerie —, au 53 de la rue des Citoyens, parce que le mur de l'immeuble qui est en face de l'église, rue des Milleguiettes, *s'orne depuis cette nuit d'un homme peint en noir, et qui pisse !*

Chapitre 7

Le Narrateur

L'inspecteur Blognard resta un long moment silencieux, et quand il parla, ce ne fut pas pour me féliciter de l'excellence de mes déductions, ni, plus important encore pour moi, pour confirmer que la dernière de ces déductions lui avait échappé ; j'en étais maintenant à peu près sûr, mais j'avais besoin d'une confirmation. Il me regarda fixement et dit :

— Comment savez-vous que c'est *depuis cette nuit* ?

— Parce que j'habite précisément dans cette maison et que je passe devant ce mur soir et matin.

— Et vous habitez dans cette maison depuis quand ?

— Depuis un an, mais...

J'allais ajouter « qu'est-ce que ça a à voir avec le problème ? », quand une idée horrible me traversa, ce qui fait que je ne terminai pas ma phrase : *l'inspecteur me soupçonnait* ! Il était tellement sûr de lui-même et habitué à trouver tout avant tout le monde qu'il ne pouvait voir qu'une raison à mon succès : c'était moi le coupable ! A mon arrivée dans la ville, un an auparavant, à l'automne, j'avais trouvé aussitôt, par miracle (ah, ah. *Note de l'Auteur*) étant donné mes ressources modestes, le petit appartement que j'occupais depuis dans cette maison qui, précisément, devait aussi abriter le criminel. Il ne s'agissait, bien sûr, que d'une coïncidence (ah ! ah ! *Note de l'Auteur*), mais la question de l'inspecteur me sembla indiquer cette orientation troublante de ses pensées. Et je n'ai même pas d'alibi, pensai-je ! L'inspecteur Blognard sourit :

— Je ne vous soupçonne pas, jeune homme. J'avais complètement oublié votre physionomie, et croyez-moi, c'est une preuve suffisante que vous n'êtes mêlé à cette affaire, ni comme criminel ni comme victime. *Je ne me trompe jamais*. D'ailleurs, vous n'êtes arrivé ici qu'il y a un an et les attentats ont commencé il y a dix-huit mois. Arapède ?

— Oui, patron.

— J'ai soif. La même chose.

L'inspecteur Arapède, le bras droit de Blognard, c'était bien lui, se leva et alla au comptoir où Mme Yvonne lui servit un double diabolo grenadine pour l'inspecteur, et une Guiness pression. L'inspecteur Blognard froissa le papier argenté rayé de traits noirs obliques d'une nouvelle réglisse et but une gorgée de son diabolo grenadine (le rouge et le noir, pensai-je).

— Arapède, mon petit, comment pouvez-vous boire cette espèce de goudron amer à neuf heures du matin, ça me dépasse, pourquoi pas du Claquesin ou du Fernet-Branca, la liqueur sauvage du comte Branca tant que vous y êtes ?

— Comment savez-vous, patron, que la Guiness me procure une sensation d'amertume goudronnée, comme vous dites ? Et même s'il en a été ainsi précédemment, comment pouvez-vous savoir que cette Guiness-ci précisément aura la même amertume goudronnée que toutes les autres Guiness que j'ai bues précédemment, ce que j'admettrai pour la commodité du raisonnement. Le miel, patron, n'est-il pas doux pour les uns, amer pour les autres ? Ne peut-il devenir amer pour moi, si, par exemple, je le goûte en ayant encore dans ma bouche le goût de la Guiness ? La sensation, patron...

— Arapède, je t'en prie, pas de philosophie pendant le boulot, nous ne sommes pas payés pour ça !

Mais Arapède n'avait pas fini son discours.

— Pardon, patron, pouvons-nous nous fier à ce que les uns et les autres nous disent de leurs sensations ? Ils disent vrai pour eux-mêmes, mais de leurs discours, comment extraire la moindre certitude, patron ? Ceux qui souffrent d'hépatite virale ne déclarent-ils pas que ces objets qui nous paraissent blancs, comme la neige, ou la farine, sont en fait jaunes, et ceux dont les yeux sont injectés de sang ne disent-ils pas que ces mêmes objets sont rouges ? Et puisque certains animaux ont les yeux jaunes, certains les yeux injectés de sang, et d'autres encore sont albinos, ne puis-je supposer qu'ils voient les objets selon la couleur de leurs yeux ? Et vous-même, patron, si vous vous penchez sur un livre après avoir regardé longuement et fixement le soleil pendant des minutes, les lettres ne vous semblent-elles pas toutes dorées et entourées de tons brillants ? Cela ne doit-il pas vous inciter, patron, à vous méfier des témoignages ?

L'inspecteur Blognard laissa s'achever cette tirade d'Arapède qui ne parut pas le surprendre, et reprit :

— Bon, jeune homme, vous avez gagné. Vous avez trouvé deux idées intéressantes et que j'avais eues moi-même, et une idée intéressante que je n'avais pas eue. Considérez-vous associé à l'enquête à partir de maintenant. Mais attention ! Rien de tout cela dans votre journal avant que je vous donne le feu vert, je ne veux pas que le lascar soit averti. Laissons-le croire un moment que nous ne sommes pas sur ses traces. Quand vous pourrez écrire, je vous le dirai. D'accord ? Alors dites : « Croix de bois, croix de fer, si je mens je vais en enfer. »

Je prêtai bien volontiers le serment réclamé par l'inspecteur. J'étais dans la joie.

Le soleil illuminait maintenant la moitié supérieure de Sainte-Gudule et, prenant en enfilade et en oblique la rue des Grands-Edredons, venait lécher les plantes vertes derrière la glace du *Gudule-Bar* ; il commençait à ramper paresseusement à l'intérieur du café entre les pieds des tables. Une douce tiédeur optimiste m'envahissait, semblable à celle que procure l'absorption d'un sundae à la fraise arrosé de crème épaisse avec un coulis de fraise par-dessus. Alexandre Vladimirovitch, qui avait paru écouter attentivement notre conversation derrière ses paupières princières, indifférentes et mi-fermées bâilla, s'étira et sortit souplement dans la rue qu'il traversa précautionneusement, avant de disparaître dans le square entre deux barreaux de la grille. L'inspecteur Arapède buvait sa Guiness à petits coups, essuyant de temps à autre d'un revers de main sa moustache qu'embrunissait parfois la brune écume du liquide anglo-irlandais.

— Mais, jeune homme, continuait l'inspecteur Blognard, je ne veux pas de vous planté à mes trousses, si j'ose m'exprimer ainsi, avec du papier et un stylo. Si je vous associe à l'enquête, il faut que vous contribuiez.

— Je ne demande pas mieux.

— Bien. Nous ferons un plan de campagne. Mais avant, je vais vous mettre au courant : il y a quelque chose d'autre que je sais et que vous n'avez pas découvert. Vous n'avez pas à en avoir honte, vous n'aviez pas tous les éléments en main. C'est quelque chose qu'on peut voir en consultant les inventaires. J'en ai fait faire après chaque attentat. Avant... mais ne disons pas de mal des collègues. C'est de la routine tout ça, et bien ennuyeuse. Le métier, c'est quatre-vingt-neuf pour cent de routine et onze pour cent d'habitude, n'est-ce pas, Arapède ?

— Oui, patron, répondit Arapède qui pensait visiblement à autre chose.

— Il y a en ce moment quatre personnes qui savent ce que je vais vous dire : il y a moi, il y a ma femme et il y a Arapède.

— Et la quatrième ?, ai-je dit stupidement.

— La quatrième, c'est le criminel !

Et l'inspecteur sourit d'avoir ainsi marqué un point.

— J'ai donc fait faire un inventaire aussi précis que possible de tout ce qui se trouvait dans le magasin après chaque attentat, et où c'était, la géographie de la chose, quoi (c'est comme ça qu'on voit le nombre des casseroles : vous avez raison, c'est 53 dans tous les cas). J'ai confronté les résultats avec ce que j'ai pu déduire de l'état des stocks, avant. Je voulais savoir si vraiment il n'y avait rien qui manquait. Ça n'a pas été facile, rien de précieux nulle part et rien apparemment de manquant nulle part. La mémoire des quincailliers est particulièrement mauvaise, il n'y en a pas un qui savait vraiment ce qu'il y avait dans son magasin. J'ai passé du temps et du temps, et enfin j'ai trouvé. Mais je n'ai rien dit de tout ça aux journaux, il n'y a aucune raison de prévenir le criminel.

— Peut-être qu'il ne lit pas les journaux, dit Arapède.

— S'il ne les lit pas, il ne sera pas plus prévenu, dit l'inspecteur.

— C'est vrai, dit Arapède, excusez-moi, patron.

— Eh bien voilà, reprit l'inspecteur, il est à peu près certain qu'il a pris quelque chose : dans chaque magasin qui a été attaqué, il a subtilisé un objet, toujours le même (un objet au moins, peut-être plus, je ne sais pas). Apparemment, il y a un seul type d'objet qui l'intéresse, cet objet est sans valeur commerciale, c'est une *statuette d'argile peinte*, un des exemplaires d'un lot de 53 statuettes, je dis bien 53 statuettes, d'origine poldève, made in Poldévie, et importées voici dix-huit mois par les exportateurs-importateurs Quincailliers-Térébenthiers Réunis, pour être données en prime à tout acheteur de poêles à frire. Les 36 quincailleries attaquées sont *les seules* qui ont reçu de ces statuettes. Aucun quincaillier ne se souvient d'en avoir donné à aucun client, aucun quincaillier n'a de souvenir d'elles, il n'en reste aucune, et *personne n'a pu me dire à quoi elles ressemblent*. Alors, qu'est-ce que vous en pensez ?

Je restai coi.

Le plan de campagne était simple, bien conforme aux méthodes inorthodoxes de l'inspecteur Blognard : se mêler à la vie du quartier, bien entendu surtout à celle du square, de l'église et du 53 de la rue des Citoyens qui était au centre de l'affaire ; parler avec les commerçants, les enfants, les chiens, les ménagères ; ouvrir les yeux et les oreilles, déceler le détail anormal, la phrase

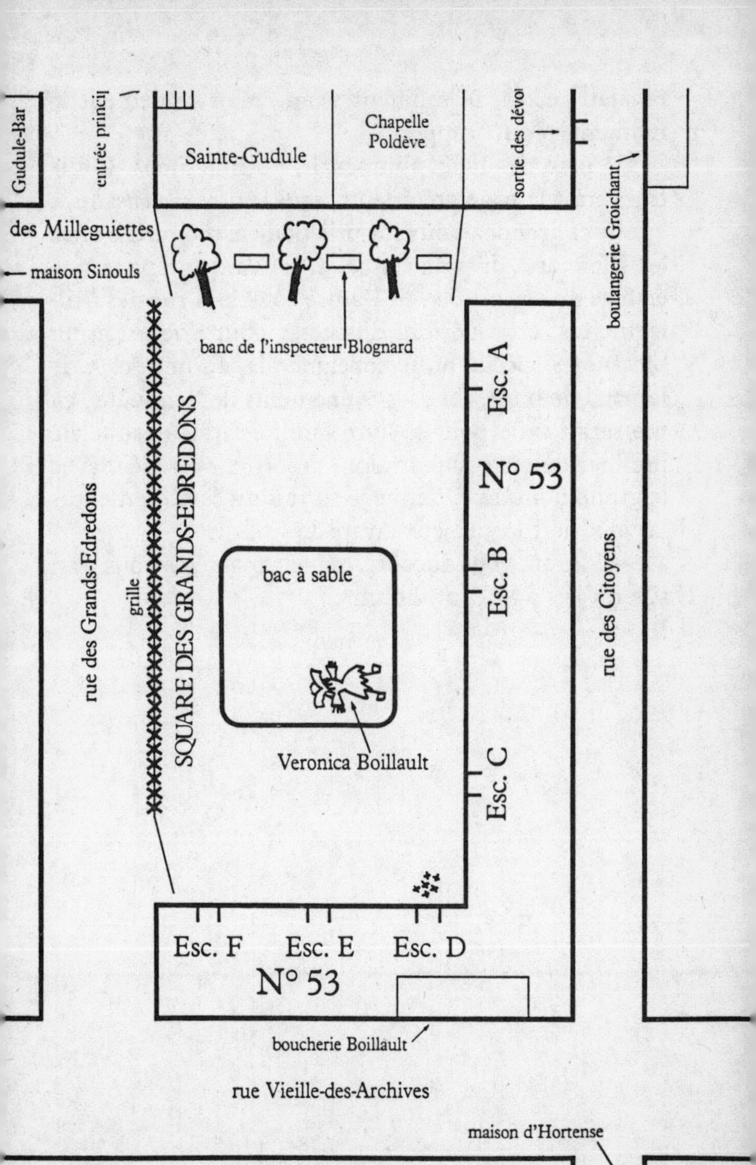

PLAN DES LIEUX

révélatrice, et, le moment venu, mais seulement le moment venu, frapper.

Un plan des lieux s'imposait, nous le fîmes. On le trouvera à la page précédente, sous le titre *Plan des lieux*.

Sur ce, rendez-vous fut pris pour le dimanche chez les Blognard. Je pris congé. Il y avait une papeterie en face du *Gudule-Bar*, de l'autre côté de la rue des Milleguiettes, et je décidai d'acheter pour l'occasion un bloc-notes spécial où je consignerais, en une sorte de journal de bord, tous les événements de l'enquête ; ça me serait utile pour le livre que j'écrirais ensuite, le premier de ma collaboration, désormais assurée, avec le grand homme. Comme je sortais du café, j'entendis la voix de l'inspecteur Arapède.

— Patron, vous dites *le* criminel ; mais êtes-vous bien sûr qu'il s'agit d'un homme ?

Le premier entre-deux-chapitres

Que se passe-t-il ? Où en sommes-nous ?

Nos lecteurs, comme nous-même, nous en sommes certain, se posent un certain nombre de questions. C'est donc le moment de faire le point, et d'en énumérer quelques-unes. Les auteurs de romans, nous avons pu le constater à de nombreuses reprises, ont rarement l'obligeance, nous dirons même la courtoisie, de ménager ainsi, comme nous, des espaces de repos à leurs lecteurs, où ils peuvent constater que leurs interrogations ne sont pas dédaignées, que leurs perplexités sont également celles de l'auteur, et de la plupart des personnages. Ces espaces verts du roman, innovation dont nous proposons le modèle à nos contemporains, collègues et successeurs, nous suggérons de leur donner le nom d'« entre-deux-chapitres ». Chacun y est invité ; on peut s'y reposer, méditer sur les bancs de quelques questions, avant de reprendre sa marche le long du récit.

Les questions sont numérotées et nos lecteurs pourront s'exercer à y répondre.

1. Quel est le roman où le Narrateur a volé la des-

cription de sa première rencontre avec l'inspecteur Blognard ?

2. Quelle est l'identité du mystérieux jeune homme aperçu par Alexandre Vladimirovitch dans la chambre de l'appartement vacant de l'escalier C, troisième étage droite du 53 de la rue des Citoyens ?

3. Pourquoi y a-t-il 36 quincailliers dans le plan de bataille du criminel ?

4. Pourquoi le criminel décrit-il une spirale quincaillière sur le plan de la Ville ?

5. Pourquoi vole-t-il les statuettes ?

6. Quel est le rôle de la Poldévie dans l'affaire ?

7. Où est le prince Gormanskoï ?

8. Pourquoi le criminel dessine-t-il à la peinture noire une silhouette d'homme qui pisse près du lieu de ses attentats ?

9. Quel est le mobile du criminel ?

10. Hortense est-elle mêlée à l'affaire ?

11. Qu'a vu Alexandre Vladimirovitch dans la valise entrebâillée ?

12. La question de l'inspecteur Arapède : pourquoi l'inspecteur Blognard est-il certain que le criminel est un homme ?

13. L'inspecteur Blognard triomphera-t-il ?

14. Pourquoi le vacarme des casseroles ?

Question spéciale

Pourquoi Alexandre Vladimirovitch a-t-il cessé brusquement d'écouter la conversation de café des inspecteurs Blognard et Arapède avec le Narrateur qui semblait pourtant prodigieusement l'intéresser ? (Voir chapitre 6.)

Réponse immédiate à la question spéciale
(à la demande générale)

Vous avez raison, la cause ne peut être que l'Amour. L'Amour avait frappé au cœur et à la moustache Alexandre Vladimirovitch (l'Amour entre au cœur de l'homme par les yeux, mais c'est par la moustache qu'il envahit le chat, comme nous l'apprend Galien).

L'Amour l'attendait au 53 de la rue des Citoyens, escalier D, deuxième étage gauche. Et sa couleur était rousse.

A travers la vitre qui commençait à s'éclairer de soleil, Alexandre Vladimirovitch apercevait un bureau. Assis à ce bureau, dans une robe de chambre de soie mauve était assis un Philosophe : il pensait. Devant lui, sur le bureau, il avait posé une belle petite jeune et rousse chatte, à la douce jeune fourrure semée de taches blanches. Elle ronronnait.

Elle ronronnait par devoir, non par plaisir. Elle ronronnait avec application, avec persévérance. Car telle était sa tâche, pour laquelle elle avait été engagée : ronronner ; ronronner pendant que le Philosophe pensait ; ronronner pour qu'il pense ; ronronner tant qu'il penserait. Le cœur d'Alexandre Vladimirovitch battit plus vite sous sa moustache. Il gratta légèrement au carreau.

(La suite à la fin des chapitres 9 et 11, du deuxième entre-deux-chapitres, des chapitres 18, 23 et 26.)

Chapitre 8

Hortense

Parfaitement inconsciente des cinq paires d'yeux qui accompagnaient différentiellement ses formes arrière si nettes sous le peu de vêtements, Hortense s'éloigna dans la rue des Citoyens et disparut derrière Sainte-Gudule. Son but, signalé par anticipation dans le plan annexé au chapitre 7, était la boulangerie-pâtisserie-glacier Groichant. Quand elle entra tout essoufflée dans la boulangerie, la patronne, Mme Groichant, était assise et débordante derrière son comptoir, et s'efforçait, avec sa maladresse et sa lenteur coutumières, de servir les nombreux clients. Elle accueillit Hortense avec soulagement et placidité, sans lui faire de reproche pour son retard.

— La voilà, dit-elle simplement aux clients, comme si tout était ainsi expliqué.

Et en effet, tout était là, car Hortense était, si l'on peut dire, un cadeau d'amour de M. Groichant à son épouse. Mme Groichant était crémeuse, abondante, à haute et compliquée chevelure chocolatée, s'apparentant par bien des aspects aux innombrables éclairs, religieuses et charlottes que défournait quotidiennement et excellemment son mari ; elle était dodue comme un croissant aux amandes et lente comme la fonte d'un vacherin. Sa lenteur naturelle était encore aggravée par son incapacité arithmétique notoire, ainsi que par les exigences tumultueuses de la série des neuf petits Groichant, sortis annuellement et successivement du four conjugal avec la réussite et l'enthousiasme des célèbres puits d'amour de leur père. M. Groichant avait fini par se rendre compte des difficultés insurmontables que rencontrait son épouse dans le maniement du commerce, et il lui avait fait un cadeau : Hortense. Deux fois par jour, le matin à huit heures et le soir à six, Hortense venait aider à la vente des baguettes et des gâteaux ; et le dimanche matin, moment décisif, elle était convoquée pour la sortie de la messe. La boulangerie-pâtisserie Groichant, en effet, était située, non pas banalement et grossièrement face à la sortie principale de Sainte-Gudule, rue des Grands-Edredons, mais beaucoup plus subtilement et stratégiquement sur l'arrière, où une petite porte terne permettait aux dévotes la suave et frissonnante incartade gourmande du puits d'amour, sans craindre le regard trop ironique des profanes ; elles ne rencontraient que leurs semblables.

Mme Groichant était infiniment fière d'Hortense ; d'abord, c'était un cadeau et une preuve d'amour (d'essence un peu différente de celle des neuf petits Groichant ou des innombrables gâteaux et crèmes qu'elle était chargée d'expertiser, M. Groichant ne mettant jamais sur le marché une seule fournée sans avoir sollicité son avis) ; de plus, elle assimilait vaguement Hortense, dont la chair tendre était très évidemment succulente, à une variété nouvelle de pâtisserie, simplement douée de locomotion, dont son mari aurait été, en quelque sorte, l'inventeur. Enfin, et c'était là une sorte d'extra, comme un petit coup supplémentaire de chantilly, particulièrement savoureux pour Mme Groichant qui n'avait jamais fait d'études, Hortense était étudiante en philosophie. L'immensité de ce fait emplissait Mme Groichant à la fois d'enthousiasme (elle restait immobile et placide malgré tout) et comme d'effroi. Elle ne manquait pas, alors qu'Hortense, encore mal réveillée et rendue nerveuse par son retard, recherchait à tâtons une baguette viennoise dans le compartiment réservé aux pains-campagne et pains-au-son, de le signaler aux clients :

— Et vous savez, c'est une étudiante en philosophie !

Les clientes en étaient généralement très impressionnées ; les clients aussi ; mais il faut, hélas, avouer que c'était vraisemblablement, sauf de rares exceptions, pour des raisons où la philosophie n'avait qu'une très faible part. Mme Groichant avait bien remarqué l'affluence insolite qui accompagnait la présence d'Hortense dans la boulangerie, mais son âme innocente l'attribuait à l'excellence des décisions de son mari, ainsi qu'au prestige très naturel de la philosophie auprès des habitants du quartier. Non seulement la fréquentation était en hausse, mais on voyait certains maris, contrairement à leurs habitudes, acheter eux-mêmes le pain familial, soulageant ainsi leurs épouses d'une partie des tâches ménagères. Un effet, plus étrange, de la présence d'Hortense était l'augmentation brusque de la vente de certaines spécialités de gâteaux et de pains, surtout celles qui, placées en des rayons très inférieurs, nécessitaient de la part d'Hortense des mouvements d'agenouillement, ou des inclinations de buste vers l'avant, soit dans la direction du client s'approchant de très près pour s'assurer que le bon choix était fait, soit, lui tournant le dos, interposant entre la pâtisserie et lui des visions non moins appétissantes.

Sur un point, cependant, la présence d'Hortense n'avait pas réellement répondu aux attentes de M. Groichant : celui de l'arithmétique, car Hortense, contrairement à ce que s'imaginaient naïvement ses employeurs, ne calculait pas mieux que Mme Groichant. Elle était simplement beaucoup plus décidée. Ne distinguant pas réellement les pièces les unes des autres, incapable de soustraire 2,60 de 5 ou 1,95 de 10, elle avait très vite renoncé et se déterminait pratiquement au hasard. Cela n'avait d'ailleurs aucune importance financière réelle, car les clientes, dévotes ou non, rectifiaient d'elles-mêmes les erreurs ; et les clients étaient beaucoup trop enthousiasmés par la proximité des seins et autres accessoires hortensiens pour faire attention à leur monnaie, ce qui fait que, la loi des grands nombres aidant, dans l'ensemble la caisse était à peu près équilibrée. Mme Groichant était aux anges.

Ce matin-là, donc, comme les autres matins, elle salua Hortense avec bienveillance et dit à ses clients (tous des messieurs) :

— La voilà ! Et vous savez, c'est une étudiante en philosophie !

Mais, nous direz-vous, que venait faire Hortense, étudiante en philosophie, dans la boulangerie Groichant ? Serait-ce que, de ressources trop modestes et aléatoires, abandonnée à son sort par sa famille, sacrifiant à la passion et à l'ambition de l'étude, elle consacrait à des achats de livres les sommes généreuses en soi, mais modiques, que lui versait M. Groichant (accompagnées de petits fours et de religieuses en solde), qu'elle se nourrissait exclusivement de pain et d'eau fraîche municipale, et usait ses yeux et sa jeunesse au déchiffrement de quelque Platon ou Schopenhauer dans le texte et dans des éditions fort dispendieuses acquises avec ses derniers francs ? Serait-ce que, contrairement aux apparences, puisque Hortense, nous l'avons dit, est l'héroïne du roman, ce roman est en fait celui de l'Etudiante Pauvre dans le Monde d'Aujourd'hui ? Mais dans ce cas, comment se fait-il que, comme nous l'avons précédemment signalé, la robe, minimale, d'Hortense en ce matin de septembre, beau et chaud, ait pu être désignée comme « chère », c'est-à-dire coûteuse, donc inaccessible sur les seuls émoluments d'une aide-boulangère ? Comment se fait-il également que son appartement puisse d'être qualifié d'« immense » ? Il y a là un mystère qu'il nous incombe de dissiper illico, pour éviter les fausses pistes.

Les parents d'Hortense étaient loin d'être dans la gêne financière. Situés dans la frange supérieure des milieux très fermés de la Haute Charcuterie, les frais des études d'Hortense, leur fille unique, ne représentaient pas pour eux un sacrifice insurmontable. De plus, ils étaient parfaitement prêts à les assumer ; ils adoraient leur fille, n'étaient pas moins émerveillés que Mme Groichant par l'intensité et l'élévation de ses activités intellectuelles. Seulement voilà : Hortense était indignée des cadeaux qu'ils ne cessaient de lui faire ; elle trouvait leur générosité indélicate, leur insistance déplacée. Et un événement récent avait fait déborder la goutte d'eau du vase de l'exaspération : au début de l'été, prétextant futilement une rentrée exceptionnelle dans une affaire brillante, son père, sadiquement, lui avait fait cadeau de l'appartement dans lequel elle se trouvait maintenant. Ce n'est pas que l'appartement fût incommode, inconfortable, ou mal situé : elle l'avait choisi elle-même. Mais le principe était inadmissible et elle se devait de réagir. Elle avait donc décidé de gagner sa vie : elle avait passé une annonce dans le quartier : « Etudiante en philosophie cherche tout travail », et le jour même, M. Groichant avait fait appel à elle. Elle était payée chaque semaine et le soir de son premier jour de travail elle avait versé des arrhes précisément sur la robe qu'elle portait ce matin, premier jour du roman.

Tout semblait donc aller au mieux pour Hortense : elle travaillait à son mémoire, sous la direction éminente du professeur Orsells ; et elle travaillait dans la boulangerie Groichant. Mais il y avait, hélas, une ombre au tableau : sa vie sentimentale ne s'orientait pas selon des lignes de force en harmonie avec ses capacités, ses imaginations et ses espérances. Très tôt surprise par l'enthousiasme (qui ne se démentait pas avec les années, au contraire) que mettaient les membres du sexe fondamentalement différent du sien dans l'appréciation de sa personne physique (ce qui continuait à la surprendre car elle était fort modeste), elle entrait avec bienveillance dans les relations amoureuses, qui ne lui étaient pas désagréables, disons-le, avec un minimum d'hésitations, de délais et de réticences, sensible aux souffrances qu'un refus risquait d'infliger. Mais elle s'était très vite heurtée à d'insurmontables problèmes. Le premier était celui de la simultanéité qui engendrait inévitablement des difficultés d'emploi du temps et, pire, des reproches véhéments de certains, dont l'indignation l'effrayait, sans qu'elle pût réellement en comprendre les raisons. Par ailleurs, comme elle ne faisait pas une séparation très nette entre les activités proprement physiques de la relation amoureuse et les autres, principalement celles que nous pourrions qualifier de langagières, elle tentait, avec une persistance louable devant des réticences évidentes, de faire partager aux esprits qui habitaient les enveloppes corporelles se retrouvant dans son lit ou dans le lit desquels (selon le cas) elle arrivait elle-même, les préoccupations de nature intellectuelle et essentiellement philosophique qui étaient les siennes. Après de nombreuses expériences malheureuses, elle avait été obligée de se rendre à l'évidence : ils s'endormaient, et ensuite ils fuyaient. Et en une occasion où, à titre expérimental, elle avait tenté de changer l'ordre des opérations, en introduisant d'emblée un point d'éthique spinoziste qui la laissait perplexe, la réaction, quoique fort différente, ne lui avait pas paru plus satisfaisante en définitive, car le jeune homme, étudiant en philosophie comme elle, s'était tellement passionné pour la question qu'il en avait complètement oublié le reste et qu'elle s'était, elle, finalement endormie, intacte et désappointée.

Elle racontait à mesure ses expériences à Yvette, qui était à la fois sa confidente et sa gynécologue, et qui lui expliquait à l'occasion, le pourquoi et le comment de certaines bizarreries de comportement auxquelles elle se trouvait parfois confrontée lors de ses aventures. Et Hortense essayait d'extraire d'elle également des conseils d'un ordre moins spécifiquement anatomique, concernant le sens de la vie et la stratégie à suivre pour amener ses amants à faire plus attention à son âme philosophique. Yvette répondait volontiers, mais ses aphorismes succincts, déduits plus ou moins explicitement d'un axiome fondamental à deux énoncés : a) les hommes, tous des salauds, b) les femmes, toutes des garces, quoique extrêmement éclairants sur le moment pour Hortense, ne semblaient pas se laisser aisément traduire en marche à suivre efficace. De plus en plus, à mesure que l'été avançait de cette année-là, la vague insatisfaction d'Hortense prenait le visage sans cesse plus clair d'une aspiration à ce qu'elle aurait pu désigner si on l'avait poussée dans ses retranchements comme étant : la rencontre de l'Homme de sa Vie, celui qui, en somme, aurait résumé en lui-même toutes les qualités de ses meilleures conquêtes et aurait été en même temps une oreille réceptive pour sa production incessante de commentaires et questions philosophiques. Mais il n'apparaissait pas, et Hortense commençait à se demander si : ou bien elle était maudite par son destin et son horoscope, ou bien elle avait quelque défaut physique rédhibitoire et caché. Elle s'examinait dans ses miroirs et ne trouvait rien de particulièrement répugnant à son apparence ; par ailleurs, l'enthousiasme masculin à son égard ne diminuait guère. Il semblait même, curieusement, particulièrement vif ce matin-là. Sans doute la qualité de l'air.

Chapitre 9

Le jeune homme de l'autobus T

Hortense travaillait, le matin, jusque vers neuf heures et quart ; à ce moment, l'affluence dans la boulangerie devenait moins exigeante ; tous les petits Groichant étaient à l'école. Hortense ramassait alors son sac et ses papiers et partait pour la Bibliothèque. Mme Groichant l'embrassait sur les deux joues et lui donnait un petit paquet contenant un en-cas pour sa matinée : une pizza toute brûlante et ruisselante dans un papier d'aluminium, deux croissants aux amandes ou quelques petits fours, par exemple ; car elle craignait que l'activité intellectuelle intense à laquelle allait se livrer son employée dans un lieu aussi sévère que la Bibliothèque, en la faisant maigrir, ne diminue ses chances d'un beau mariage. Il était donc neuf heures et quart et Hortense sortit dans la rue des Citoyens. L'arrêt de l'autobus T ne se trouvait pas dans la rue, évidemment, puisque celle-ci, comme vous ne l'ignorez plus depuis le premier chapitre, était en sens unique dans le sens ouest-est ; il se trouvait dans une rue parallèle un peu plus au nord, la rue Flaminio-de-Birague, en direction de laquelle Hortense hâta ses pas.

On remarquera, je pense, combien il est difficile à un roman de progresser dans le temps, non de la narration, mais des choses narrées, au-delà de son instant initial. C'est la troisième fois que nous nous y efforçons, en ce matin du 6 septembre 19.., et nous n'avons guère dépassé, avec la rencontre de l'inspecteur Blognard, le milieu de la matinée. Il y a tant de choses à expliquer, qui se situent dans l'avant-roman, que c'est miracle si on peut avancer même d'une minute. Nous aurions beaucoup aimé pouvoir poser quelques questions à nos collègues à ce sujet ; particulièrement à Alexandre Dumas ; sauter d'un seul coup *vingt ans après*, quel tour de force !

Quatre personnes attendaient l'autobus qui parut aussitôt. Il était horriblement plein et le conducteur passa dédaigneusement devant l'arrêt sans même ralentir ; puis il alla s'arrêter au feu rouge trente mètres plus loin ; Hortense qui l'avait vu de loin employa sa tactique habituelle ; elle se plaça devant la porte avant de l'autobus et essaya d'attirer l'attention du conducteur en sautant verticalement à pieds joints deux ou trois fois ; le conducteur, c'était le même tous les matins, attendit qu'elle ait fait deux ou trois sauts (qui agitaient ses seins sous la robe de manière fort convaincante), avant de lui ouvrir, ce dont elle le remercia d'un grand sourire ; l'autobus T s'éloigna, accompagné des clameurs indignées des quatre candidats voyageurs frustrés.

Hortense se fraya un passage vers le centre du véhicule, frottée et palpée par les quelques heureux qui se rencontrèrent sur son passage. Une femme tenta de l'éborgner avec son parapluie, qu'elle transportait avec elle en dépit du beau temps, spécialement pour ce genre d'occasion. Elle n'avait pas encore réussi avec Hortense, mais ce n'était pas faute d'essayer. C'était une grande femme osseuse et mère de famille, le plus souvent accompagnée de son fils, un grand gamin plein d'hésitations et d'inconfort. Il portait ce matin-là un pot de géraniums ; les hasards de la circulation interne de l'autobus l'avaient isolé de sa mère, qui lui recommandait régulièrement et à voix haute de prendre soin du pot de géraniums destiné à la tante Monique. Au contact parfumé et troublant d'Hortense, il devint plus rouge encore que ses fleurs et il pensa alors d'une manière plus intense que de coutume : « J'aime bien maman, mais crénom qu'elle est agaçante ! » (Ce jeune homme, contrairement à ce que vous supposez, n'est pas celui auquel il est fait allusion dans le titre de ce chapitre ; ce roman n'est pas un vaudeville.)

L'autobus T déversait la plus grande partie de sa cargaison assez vite, le troisième arrêt après l'arrêt Citoyens-Birague étant en face d'un grand magasin ; le reste du trajet, jusqu'à la Bibliothèque, neuf autres stations, Hortense trouvait généralement une place assise, qu'elle avait l'habitude de choisir le plus près possible de la sortie. Elle s'assit dans le sens de la marche et posa ses paquets sur le siège vide en face d'elle. De l'autre côté de l'allée centrale, dissymétriquement, les sièges allaient par quatre ; deux d'entre eux, face à elle et en biais, étaient occupés. La place la plus proche de la fenêtre appartenait à une jeune mère, tenant dans ses bras son nouveau-né, totalement invisible, dans son cocon de langes, mais d'existence déductible par un extrême gigotement (à l'intérieur), quoique silencieux. La jeune mère, assez laiteuse et écrémée de teint, essayait de contrôler ces mouvements par des mouvements à elle de bras berceurs, mais sans grande conviction. A son côté, était assis un ecclésiastique vêtu de pourpre, qui était de vastes proportions et lisait dans un petit bréviaire noir. Comme l'autobus s'élançait après l'arrêt, il posa son bréviaire sur ses genoux et dit à Hortense, avec un sourire et désignant le paquet-bébé : «*E pur si muove!*»

Le trafic était intense. Les agents de la circulation sifflaient aux carrefours, portant sur leurs épaules toute la lassitude du monde. L'autobus T se frayait majestueusement un passage entre les petites voitures frénétiques, les livreurs joviaux, les cyclistes et motards se faufilaient comme des skieurs dans le slalom spécial un jour de brouillard. Les piétons, ces héros des temps modernes, risquaient leur vie pour traverser, pères de famille allant acheter l'entrecôte qui nourrira les chères têtes blondes, enfants des écoles, vieillards mal nourris de pâtée ronron ou de canigou, que quelques farceurs essayaient d'effrayer par un usage interdit et amusant de l'avertisseur. Les voitures étrangères et provinciales se précipitaient dans le couloir réservé aux bus, aux taxis et ambulances autorisés. Hortense aimait cette lente progression pour elle paisible, confortablement isolée des vicissitudes de la circulation par l'aisance souveraine de son admirateur et ami, le conducteur ; elle se sentait proprement invulnérable ; c'était le moment où elle commençait vraiment à se réveiller et à penser à sa journée de travail en Bibliothèque.

C'était l'année de son mémoire de maîtrise, et elle avait un rendez-vous proche et décisif avec son Maître, le professeur Orsells, auquel elle comptait présenter l'esquisse d'un premier plan et poser quelques questions intelligentes et essentielles. Le long trajet en autobus lui permettait de faire le point, de vérifier l'état de ses crayons, papiers, stylos, notes et cotes, de choisir dans ses listes les ouvrages qu'elle allait tenter de faire sortir des magasins afin de les consulter. Elle se sentait un peu comme un combattant qui vérifie son équipement avant de monter à l'assaut, comme un demi d'ouverture qui se prépare à entrer sur le terrain, lors d'un match décisif du Tournoi des Cinq Nations, comme... (à compléter suivant vos préférences et le pointillé).

Elle leva brusquement les yeux : quelqu'un s'était arrêté dans l'allée centrale à sa hauteur, et son attitude indiquait qu'il voulait s'asseoir. Le prêtre pourpre et la jeune mère écrémée au paquet-bébé étaient descendus. Hortense rassembla en hâte ses affaires et les posa sur ses genoux, libérant ainsi la place en face d'elle, que l'individu occupa immédiatement.

C'était un jeune homme de vingt-cinq ans environ, vêtu de noir, à la mine sérieuse, calme et sombre. Il s'assit sans un mot et posa près de lui une petite mallette noire également, dans l'allée centrale, le long de son siège. L'autobus avança d'un mètre puis retomba dans l'inactivité. On traversait un marché (rue de la Modestie-Descendante) et l'odeur de chou et d'oranges montait à travers la vitre ouverte de la fenêtre du fond. Des enfants se pressaient autour d'un marchand de marrons, tendant leurs pièces en échange d'un sac contenant une portion brûlante sur laquelle ils soufflaient pour la refroidir ; leur souffle était une brume bleue dans l'air glacé (excusez-nous et veuillez ne pas tenir compte de la phrase précédente qui s'est introduite par erreur, en provenance d'une description de rue hivernale qui n'a rien à faire dans ce roman-ci. *Note de l'Editeur.* Après une étude financière poussée, il s'est révélé plus rentable d'insérer ici cette note que de supprimer la phrase qui avait échappé à nos correcteurs). Hortense regardait avec intérêt l'image du jeune homme qui lui apparaissait dans la vitre légèrement poussiéreuse. Il avait le nez droit, un peu long, à peine exotique, mais noble. Sa chevelure était bien rangée mais semblait ébouriffable, et Hortense avait un faible pour les chevelures de jeunes gens bien rangées mais vraisemblablement ébouriffables. Il était un peu plus grand qu'elle et elle pensa que cette taille n'était pas impossible. Malgré une certaine élasticité dans ses critères, il était totalement exclu qu'elle s'intéressât au point de le fréquenter à quelqu'un dont la taille aurait été inférieure à la sienne ; mais ce n'était pas le cas. Cependant, elle avait une journée de travail importante et difficile à la Bibliothèque et ce n'était sûrement pas le moment de constater que le nez d'un jeune homme (c'était un jeune homme) était long, droit et tout et tout, sa chevelure ébouriffable, sa taille non impossible et ses mains, qu'il tenait sagement immobiles l'une contre l'autre sur ses genoux, fines.

A ce moment, par le principe du retour inverse du regard et de la lumière, Hortense se rendit compte que le jeune homme la regardait. Il la regardait très franchement et nettement, depuis un bon moment sans doute, si on en croyait la somme d'informations qu'on lisait acquises dans son regard ; et elle l'avait ignoré, tant elle était occupée elle-même à le regarder par l'intermédiaire du reflet dans la vitre de l'autobus, lequel s'approchait maintenant de l'arrêt « Bibliothèque ». Et voilà qu'il parla et dit :

— Vous avez de beaux yeux, mademoiselle, surtout le droit.

C'était vrai.

Hortense rassembla en hâte ses affaires et descendit. L'autobus et le jeune homme s'éloignèrent simultanément.

Hortense se dirigea vers la salle de lecture de la Bibliothèque, où nous allons la suivre bien entendu, mais où nous ne pouvons pas pénétrer immédiatement ; il y a à cela deux raisons :

— La première est qu'il n'est pas encore dix heures du matin, et que la salle de lecture n'ouvre qu'à dix heures. C'est une excellente raison.

— La seconde est une raison plus romanesque, structurale, dirions-nous même. En effet, le titre du prochain chapitre, le dixième, est *La Bibliothèque*, et le titre du présent chapitre, qui n'est pas encore terminé, est *Le jeune homme de l'autobus T*. Or le jeune homme en question est resté dans l'autobus T, qui est parti avec lui. Nous nous trouvons donc dans une sorte de no man's land narratif, et nous ne pourrions pas, même si nous y étions autorisé par l'heure (c'est-à-dire s'il se mettait brusquement à être plus de dix heures du matin), pénétrer dans la salle de lecture de la Bibliothèque. Tout ce que nous pouvons faire, d'ici la fin du présent chapitre, c'est d'accompagner Hortense, qui vient de s'installer dans la file des lecteurs attendant l'ouverture des portes.

Il était dix heures moins le quart à peine, mais il y avait déjà plusieurs personnes dans la file. Les premières places étaient, comme chaque matin, occupées par le Sextuor des Vieillards, des habitués qui se présentaient devant la porte dès avant neuf heures, afin d'être toujours les premiers à entrer et s'assurer les places qui leur revenaient de droit. Quatre de ces vieillards étaient mâles, deux étaient femelles. Leurs intérêts de lecteurs divergeaient du tout au tout, leurs opinions politiques, religieuses, littéraires et cinématographiques s'opposaient violemment et aigrement, mais ils se retrouvaient unis, malgré toutes leurs divisions et haines, par une alliance d'intérêts contre tous les autres lecteurs qui, ils en étaient persuadés, en voulaient à leurs places ; et c'est pourquoi ils se retrouvaient tous les jours devant la porte et se faisaient des sourires, bien que chacun fût convaincu que les cinq autres se livraient à des recherches stupides, étaient bêtes, sales et vieux ; n'osant pas d'ailleurs arriver plus tard que les autres, de peur que chacun n'en profite alors pour leur prendre leur place, qui était certainement la meilleure.

Le doyen du Sextuor des Vieillards était un fringant nonagénaire. Il s'habillait jeune, d'un costume framboise par exemple avec un foulard jaune roulé comme un jabot de jars. Il recueillait de la documentation en vue d'un ouvrage définitif : *Conseils à un aspirant centenaire*. Il butinait dans ce but dans les régimes végétariens, les kéfirs, les mystères orientaux, les mémoires de tous les prédécesseurs illustres. Il était le doyen et l'idole du Sextuor, et tous l'écoutaient comme un oracle.

Les cinq autres, les *jeunes*, avaient de soixante-seize à quatre-vingts ans. Le cadet immédiat de l'aspirant centenaire, qui n'avait que quatre-vingts ans, n'était pas à proprement parler un lecteur de la Bibliothèque et sa carte n'avait pas été renouvelée depuis dix ans, mais on n'osait pas lui refuser l'entrée ni sa place, de peur du scandale. Il avait été lecteur autrefois quand sa vue le lui permettait, après une longue carrière dans l'administration des douanes, et passait les longues heures de loisirs de sa retraite à une copieuse prise de notes, pour son *Histoire universelle de la contrebande*, qu'il se promettait d'achever quand sa vue irait mieux. S'il venait, matin après matin, rejoindre ses collègues du Sextuor et jouer sa partie dans leurs échanges polémiques, c'était pour une raison très simple : afin de pisser. Dès l'ouverture des portes, une fois sa carte périmée montrée et sa place assurée, il se précipitait, si l'on peut dire, car en fait il n'avançait que lentement, en soufflant, sur ses deux pattes éléphantesques, aux toilettes du sous-sol, où il demeurait un long quart d'heure, attendant l'inspiration qui, disait-il aux autres, ne manquait jamais de lui venir en ce lieu dont sa vessie avait pris l'habitude ; et il ajoutait régulièrement : « Comme l'a dit le duc de Wellington, un gentleman ne doit jamais laisser perdre une occasion de pisser, on ne sait pas quand il s'en retrouvera » (il disait cela aussi pour faire enrager la benjamine, soixante-seize ans, qui écrivait des lettres d'amour à l'Empereur). Alors, soulagé et optimiste, il s'en retournait somnoler chez lui.

Les activités des trois autres vieillards étaient plus mystérieuses, et Hortense n'avait jamais réussi à s'en faire une idée précise ; eux non plus peut-être. Comme elle était généralement la première lectrice à se présenter aux portes après eux, ils l'avaient en quelque sorte adoptée, dès qu'ils avaient été certains qu'elle n'avait aucune visée sur leurs places, et ils lui fournissaient des conseils, extraits de leur vaste expérience, sur la manière dont il fallait s'y prendre pour franchir les terribles obstacles que la Bibliothèque opposait à ceux qui avaient l'incroyable prétention d'aspirer à consulter les innombrables ouvrages qu'elle recelait en ses augustes flancs.

Suite de la réponse immédiate à la question spéciale posée au premier entre-deux-chapitres

La jeune chatte rousse que regardait Alexandre Vladimirovitch à travers la vitre du début de la réponse à la question spéciale de l'entre-deux-chapitres (voir premier entre-deux-chapitres) s'appelait Tjurmska (prononcer Tioutcha). Elle avait été engagée par Mme Orsells, née Hénade Jamblique, comme Ronronneuse au service de son mari, le Philosophe Orsells, qui l'avait réclamée pour penser à son ouvrage en cours d'achèvement, une révolution dans la pensée (comme les précédents).

Elle s'acquittait de sa tâche avec conscience mais hélas les résultats ne paraissaient pas satisfaire son employeur. Son doux ronronnement en effet, qui faisait passer des frémissements électriques dans les moustaches d'Alexandre Vladimirovitch, avait sur le professeur Orsells un effet de nature fort différente : les ondes ronronnantes, transmises au cortex cérébral par les circuits appropriés, imitaient à s'y méprendre les vibrations séduisantes du sommeil paradoxal. C'est pourquoi, pendant que Tioutcha ronronnait, le professeur Orsells ronflait. En s'éveillant, il avait le sentiment d'avoir énormément, intensément pensé, certes, mais il ne savait pas à quoi. Aussi était-il de fort mauvaise humeur et houspillait-il cruellement son employée, la forçant à lire des chapitres entiers de ses ouvrages pour qu'elle fasse mieux son travail. Cependant Tioutcha et Alexandre Vladimirovitch se regardaient en silence à travers la vitre. Leurs moustaches frémissaient à l'unisson.

(Lire la suite à la fin du chapitre 11.)

Chapitre 10

La Bibliothèque

Une fois franchi le sas d'entrée, protégé et défendu comme l'accès à une capsule d'astronaute, grâce à la présentation de sa carte, munie d'un rectangle orange en plastique épais et translucide indiquant le numéro de sa place (c'était sa place habituelle), ayant déposé le tout (carte et rectangle) à un comptoir où LA Bibliothèque les gardait en otage (un peu comme, si l'on en croit les films de gangsters, on abandonne son identité et ses effets personnels au moment d'entrer en prison), Hortense, jetant son sac et ses cahiers, sans oublier l'en-cas de Mme Groichant, sur sa table, se précipita vers la salle des catalogues afin de repérer au plus vite les cotes des ouvrages qu'elle rêvait d'obtenir. La stratégie défensive de la Bibliothèque, en effet, obligée par la loi et la coutume de permettre aux lecteurs autorisés par la possession d'une carte (obtenue, non sans mal, après une longue enquête de sécurité et le remplissement d'un insidieux questionnaire qui permettait d'en éliminer plus d'un) la consultation des ouvrages qui lui appartiennent en propre, qui sont sa gloire, son douaire et son trésor, et qu'elle ne cesse de caresser, de contempler et d'adorer dans le silence sombre de ses magasins, consistait à retarder le plus possible le moment où elle aurait à les sortir et à les soumettre au regard salissant de ces ignares, dont elle soupçonnait d'ailleurs que l'intention secrète était de les barbouiller, de les lacérer, de les griffonner, de les détériorer, ou tout simplement, de les voler.

Il s'agissait pour elle d'atteindre le moment béni de l'après-midi où une cloche (tocsin pour les lecteurs, mais carillon de liesse pour elle) annonçait la fin des communications d'ouvrages pour la journée, en ayant livré le moins possible de livres à la convoitise des barbares. C'est pourquoi, dès qu'il avait réussi à pénétrer dans la forteresse, le lecteur devait agir avec la plus grande célérité et prestesse, et c'était la raison de la bousculade effrénée dans les escaliers conduisant à la salle des catalogues à laquelle Hortense prit part ce matin-là en excellente position.

La difficulté première consistait à découvrir la cote de l'ouvrage, soigneusement dissimulée. Il n'y avait pas, en effet, comme on aurait pu s'y attendre, par exemple, une suite de volumes indiquant, pour chaque auteur, selon sa place alphabétique, les ouvrages disponibles, non ; si Hortense avait envie de lire *Pierrot mon ami* de Raymond Queneau, par exemple, elle devait savoir à quel moment le livre avait été acquis, pas celui (cela aurait été trop simple) de la parution ; il y avait, pour chaque tranche alphabétique et de manière parfaitement indécidable, un volume, valable pour certaines de ces années seulement, et situé dans un endroit totalement imprévisible de la salle. Il fallait le repérer, chercher l'auteur, chercher l'ouvrage, noter la cote, et ensuite déterminer dans quel autre volume se trouvait la cote réelle, car la cote première était une cote ancienne qui avait été abandonnée au profit d'une autre, plus moderne, lors d'un quelconque changement de règne à l'intérieur de l'empire bibliothécaire. Il va de soi que seule une très longue habitude, ou l'héritage de traditions secrètes, ou l'amitié d'un bibliothécaire pouvaient permettre de s'y reconnaître. Plus d'une fois déjà Hortense avait dû consoler quelque malheureuse étudiante américaine, à peine sortie des plages rassurantes de la bibliothèque du Congrès à Washington, sanglotant dans une douzaine de kleenex au pied obscur de quelque rayon.

Mais ce n'était pas tout ! Admettons que vous ayez réussi, par miracle, à trouver la cote du livre que vous cherchiez, ou que tout simplement, renonçant à la déterminer, vous ayez en désespoir de cause pris la première qui vous tombait sous la main ; que vous ayez, correctement disons, rempli les bulletins de demande de chaque livre et déposé ceux-ci dans la boîte réservée à cet effet, vous n'étiez pas au bout de vos peines, et la Bibliothèque, bien qu'ayant perdu la première escarmouche, n'était pas vaincue pour autant. Car alors commençait une longue attente, pendant laquelle, pensiez-vous naïvement, on s'affairait, toutes affaires cessantes, à la recherche de vos ouvrages, afin de vous les apporter. Vous attendiez. Une demi-heure passait, une heure, rien. Vous aviez terminé votre courrier, levé plusieurs fois les yeux vers l'immense coupole vitrée, à travers la poussière de laquelle filtrait un peu de jour, et voilà qu'un des livreurs de livres se présentait devant la rangée où vous étiez assis. Et voilà qu'il jetait sur votre table un livre ! Vous le preniez fébrilement : hélas ! ce n'était pas *Pierrot mon ami* de Raymond Queneau dont vous aviez, grâce à un tuyau sûr, déterminé la cote dans un sous-catalogue spécial consacré aux ouvrages sur le cirque, que vous aviez devant vous, mais *Einführung in der Theorie der Elektrizität und der Magnetismus* de Max Planck, Heidelberg, 1903. Vous vous précipitez au bureau des réclamations. Vous attendez dix minutes : une Finlandaise ne comprend pas pourquoi *La Revue critique du discobole français*, année 1910, ne se trouve pas dans cette salle, alors que l'année 1909 y est ; la bibliothécaire explique patiemment dans un allemand approximatif que le conservateur a décidé de transférer, pour des raisons de sécurité, toutes les revues sportives, à partir de 1910 précisément dans une autre salle, qui d'ailleurs vient de fermer. Enfin, c'est votre tour. La confrontation de votre bulletin de demande et de la cote du livre de Planck montre clairement que vous avez raison : le Z n'est pas un W et le 8 n'est pas un 4 ; il n'y a aucun doute, mais que faire ? Attendre encore une heure ? Le livre qui vous arrivera, s'il n'est pas *Pierrot mon ami*, sera peut-être encore moins intéressant. Résigné, vous regagnez votre place et commencez l'étude de la théorie des quanta.

La première stratégie, donc, était la stratégie de l'*erreur*, dont une variante était l'envoi du bon ouvrage à un *autre* lecteur. On voyait ainsi dans l'allée centrale de la salle de lecture des chercheurs fébriles essayant d'échanger, en des échanges souvent triangulaires, un ouvrage sur la cuisine pygmée contre l'édition originale des *Prolegomena rythmorum* du père Risolnus. Mais il y avait un échelon supérieur dans la *dissuasion* : c'était l'emploi d'une arme particulièrement redoutable, la panoplie des réponses dilatoires que les magasins envoyaient au lecteur par l'intermédiaire de son propre bulletin de demande ; ces réponses pouvaient prolonger la lutte pendant plusieurs journées ; si cette stratégie était choisie, cela se passait de la manière suivante : le distributeur de livres apparaissait dans votre rangée avec son chariot ; il n'y avait rien pour vous ; une demi-heure supplémentaire passait. Vous receviez alors votre bulletin de commande, généralement chiffonné, portant l'indication : « manque en place ». Le lendemain, vous redemandiez l'ouvrage ; la réponse était cette fois : « cote à revoir ». Le troisième jour c'était, « à la reliure » et enfin le quatrième, par un raffinement de cruauté dont on appréciera toute la saveur : « communiqué à vous-même le... » et suivait alors la date de votre première demande. C'était le degré ultime de l'escalade, car vous vous trouviez alors dans un état inconfortable, tentant d'expliquer que vous n'aviez jamais eu communication de l'ouvrage, avec le sentiment pénible qu'on vous prenait pour un imbécile, un distrait ou un voleur. Les bibliothécaires essayaient de vous consoler et vous lisiez dans leur regard apitoyé le jugement sans appel : le malheureux, *elle* a encore frappé !

Il va sans dire que vous appreniez, si vous ne vous découragiez pas définitivement et ne preniez pas immédiatement l'avion pour Londres afin de vous consoler au British Museum, vous appreniez, à l'usage, à déjouer certains de ces pièges. Contre la tactique de la réponse dilatoire, par exemple, la contre-attaque consistait en un renoncement instantané au profit d'un autre ouvrage, et un nouveau sondage pour le livre que vous désiriez initialement, plusieurs jours plus tard, ce qui obligeait l'ennemi à des efforts considérables de mémoire qu'il ne tardait pas à trouver trop onéreux.

Aussi, pour des lecteurs un tant soit peu aguerris, les procédés de dissuasion courante, dont nous venons de donner quelque échantillon, étaient-ils insuffisamment efficaces. C'est pourquoi la Bibliothèque inventait sans cesse de nouvelles stratégies : alerte à l'incendie, retard de l'horloge dans le hall d'entrée permettant de gagner une bonne demi-heure à l'ouverture des portes (l'heure véritable était ensuite rétablie dans la journée, avancée même, ce qui permettait aussi un gain à la sortie). La dernière en date, qui avait désarçonné même Hortense et envoyé un membre de l'Institut à l'hôpital avec une crise nerveuse, consistait à fermer brusquement, pour une durée indéterminée et sans préavis, un magasin entier. Ainsi le lundi, on ne communiquait pas la poésie ; le mardi, pas de mathématique ; pas de livres d'histoire de la navigation, ni postérieurs à 1863, le mercredi. Cette offensive, récente, semblait couronnée de succès, et le découragement s'emparait de certains des plus tenaces des lecteurs. On vit un spécialiste fameux de la rhétorique à la Renaissance convoquer la presse et, entouré de sa femme et de ses quatre enfants en larmes, annoncer qu'il renonçait et entrait dans l'immobilier. De nombreux lecteurs, naïfs, crurent qu'en s'adressant à quelques pouvoirs, on pourrait modifier le cours des choses ; ils formèrent un comité de lecteurs, lancèrent une pétition, interpellèrent à la Chambre des députés et au Sénat, agirent sur les amicales d'anciens élèves des Grandes Ecoles. La Bibliothèque sourit dans sa barbe : il y eut des élections pour une assemblée représentative des usagers, avec scrutin de liste à deux tours majoritaire semi-proportionnel, avec panachage ; une boîte de réclamations fut apposée dans l'entrée à l'usage des lecteurs, le chauffage fut amélioré dans le département des manuscrits sportifs, des carrières politiques s'ébauchèrent, et ce fut tout.

En un an de fréquentation, Hortense était devenue une vieille routière dans l'art de déjouer les pièges de la Bibliothèque, et son pourcentage de succès dans l'obtention des ouvrages faisait l'envie de bien des lecteurs, puisqu'il atteignait certains jours jusqu'à vingt-cinq pour cent ! (Elle avait même été proposée pour le prix des lecteurs, qu'elle n'avait pas obtenu à la suite de sordides manœuvres politiciennes.) Mais elle avait comme les autres lecteurs un deuxième problème grave à résoudre, c'était celui des voisins.

Il y avait les voisins qui s'endormaient et ronflaient ; il y avait ceux qui bavardaient et pouffaient ; il y avait ceux, redoutables, qui s'approchaient et draguaient. Hortense, bien sûr, avait mis au point des stratégies adaptées à chacune de ces situations, disons, normales, mais il restait deux cas particulièrement redoutables :

Le premier était celui du Vieillard Puant. Le Vieillard Puant n'appartenait pas, hélas, au Sextuor des Vieillards de l'entrée, ce qui fait qu'on ne pouvait pas savoir à l'avance à quelle heure il allait surgir et à quelle place il serait mis. Le Vieillard Puant avait été un grand lecteur ; à la suite d'un chagrin d'amour, il avait cessé de varier ses lectures et se bornait au *Manuel* d'Epictète, qu'il posait sur sa table à côté d'un autre ouvrage (lui appartenant celui-là) de Louis Veuillot. Il le sortait de son cabas où il voisinait avec un fromage qui, selon l'avis de la majorité des experts, devait être un reblochon remontant à la plus haute antiquité, mais ce n'était pas véritablement l'odcur du reblochon qui rendait la proximité du Vieillard Puant si redoutable, on s'y fait. C'est qu'en cessant de varier ses lectures à la suite, disions-nous, de son chagrin d'amour, il avait également cessé de se laver. L'effet était immédiat sur les places les plus voisines ; il se propageait ensuite, si on peut dire, par ondes concentriques jusqu'à une distance de trois rangs environ. On n'avait jamais eu vraiment à envisager l'évacuation de la salle car, trop malheureux pour rester longtemps au même endroit, il s'en allait au bout d'une demi-heure dans une autre bibliothèque. Hortense redoutait évidemment ses visites, qui l'obligeaient, quand elle était défavorablement placée, à une fuite d'une heure au moins pour se soustraire à l'action du malheur d'amour.

L'autre voisinage redoutable était celui de la Dame au Visage de Mortadelle. Les amateurs de cette variété de charcuterie autrefois très célèbre, mais un peu passée de mode aujourd'hui, je le crains, reconnaîtront, sans qu'il soit nécessaire d'insister, la particularité physique qui avait valu à cette lectrice son titre. Sa vue, certes, n'était pas spécialement agréable, mais ce n'était pas ce détail qui rendait son voisinage devant être impérativement évité (l'emploi du gérondif est là pour souligner le caractère absolu de la recommandation). La Dame au Visage de Mortadelle, en effet, avait l'habitude de s'installer à sa table qu'elle encombrait d'un nombre considérable de livres (des dictionnaires le plus souvent très volumineux). Elle les disposait en une sorte de forteresse sur trois côtés du territoire qui lui était réglementairement réservé, mais elle laissait dans ces murs des interstices, semblables à des mâchicoulis de château fort médiéval, à travers lesquels elle déversait sur ses vis-à-vis et voisins le plomb fondu et l'huile bouillante de regards d'une telle malévolence que peu parvenaient à y résister ; et s'ils ne fuyaient pas rapidement, elle faisait tomber sur leur table des messages calligraphiés soigneusement, contenant sur leur apparence physique, leurs mœurs, leur parentèle et leur avenir, des insultes d'une telle grossièreté obscène que l'on avait vu l'auteur d'un dictionnaire d'argot soumis à ce traitement rougir comme une collégienne d'une école anglaise au temps de la reine Victoria.

Mais ce jour-ci heureusement, Hortense se trouva préservée de ces inquiétants voisinages. En attendant l'arrivée hypothétique des ouvrages qu'elle avait demandés et qui se présentèrent, autre miracle, avec à peine une heure de retard, elle était allée manger les trésors culinaires de Mme Groichant dans le jardin de la Bibliothèque ; il faisait plus chaud, mais une brise légère et délicieuse faisait frissonner les feuilles, déjà incertaines d'elles-mêmes, des tilleuls. Dans le bassin aux 53 poissons rouges, la fontaine crachait par ses quatre bouches : Seine, Rhône, Loire et Garonne, et le petit vent agitait en l'air tout un friselis de minuscules gouttelettes du meilleur rafraîchissant. C'est d'ailleurs la conjonction de cette humidité douce et de la brise qui révéla à Hortense, en même temps que certains regards particulièrement appuyés, le fait, qu'elle avait ignoré jusqu'alors, de son absence de culotte. Comme elle n'était pas sûre de l'opacité de sa robe, surtout dans un soleil un peu insistant, elle en fut honteuse et se jura d'être plus prudente désormais. Ayant essuyé ses doigts parfumés de tomate pizzatique et huileuse, additionnés de crème et de farine de sucre, avec un kleenex, elle rentra dans la salle et s'assit ; plusieurs livres et articles sur les œuvres du grand Philosophe Philibert Orsells, son sujet de mémoire devant elle, elle se prépara à une bonne journée de travail. A ce moment précis, un pied toucha le sien. Levant les yeux, elle vit, en face d'elle, et la regardant, *le jeune homme de l'autobus T*!

Chapitre 11

Le dîner chez les Sinouls (première partie : les préparatifs)

Le soir de ce même jour, Yvette dînait chez les Sinouls. Dès cinq heures, elle avait expédié sa dernière patiente de la journée, donné le numéro des Sinouls à son répondeur automatique pour les urgences et les bavardages essentiels, fermé la porte de son cabinet, descendu les deux étages de l'escalier F du 53, le plus proche de la rue des Grands-Edredons, traversé le square, pris la rue des Milleguiettes (dans la direction opposée à celle de Sainte-Gudule) ; elle parcourut une dizaine de mètres dans la rue, appuya sur le code Sinouls PL 317 : il y eut un petit bourdonnement ; elle poussa avec vigueur la lourde porte ancienne et entra. Traversant le porche et délaissant les escaliers qui s'offraient à elle (si elle en avait choisi un, elle se serait trouvée dans un roman totalement différent de celui que vous êtes en train de lire), elle déboucha dans une cour supprenamment assez vaste et nous ferions mieux de dire d'ailleurs un jardin, au fond duquel, nettement séparés des deux côtés de l'immeuble par une grille à travers laquelle on les apercevait : un autre jardin, d'une trentaine de mètres de profondeur, et clos à l'arrière par un grand mur ; et dedans, un petit pavillon rococo, comme on en voit d'innombrables dans la banlieue sud de Paris, mais dont la présence à deux pas de la rue des Citoyens ne laissait pas d'être surprenante (pas pour Yvette évidemment qui avait eu le temps de s'y habituer). Nous voyons d'ici le sourire d'incrédulité qui joue sur les lèvres de notre Lecteur, mais nous précisons ici que le fait est rigoureusement exact et nous attendons de pied ferme un démenti.

C'était un pavillon à un étage, avec une cave, une buanderie, des framboisiers et un cerisier dans le jardin. Par la fenêtre de la salle de séjour, parvenait aux oreilles d'Yvette le son (une toccata pour orgue de Frescobaldi jouée à plein volume) tonitruant, habituel, du zinzin du père Sinouls. Une belle lueur, déjà descendante, venait de l'ouest et entrait par la fenêtre ouverte.

— Salut, ma vieille ! dit Sinouls.

Balbastre aboyait avec enthousiasme.

— Couché, chien d'ivrogne ! dit Sinouls avec beaucoup d'à-propos.

— Ah, ces bonnes femmes ! dit Yvette en s'affalant dans le fauteuil.

Sinouls alla baisser le volume du zinzin et lui jeta un coup d'œil de compréhension. Pour des raisons diverses, Yvette par profession et Sinouls par conviction théorique, ils étaient tous les deux misogynes, ce qui n'était pas la moindre de leurs affinités. D'âge voisin, ils partageaient aussi l'amour de la bière, dont Sinouls s'empressa de sortir deux grandes bouteilles bien fraîches du frigidaire. Nous préciserons tout de suite (nous connaissons nos Lecteurs) que les relations d'Yvette et du père Sinouls étaient parfaitement sages ; une certaine communauté de points de vue les rapprochait, et par ailleurs Mme Sinouls, qui était libraire, lectrice et s'intéressait à l'art, toutes choses qu'Yvette et Sinouls n'appréciaient guère, avait avec son mari un différend, assez ancien, concernant la religion et la bière ; mais comme elle était discrète et prudente, elle ne le manifestait pas trop. Yvette donna au père Sinouls un aperçu précis et détaillé de certains de ses derniers cas, puis ils se rendirent, avec leurs bières, dans la cuisine, où Sinouls entreprit de préparer le repas du soir.

Il aimait beaucoup cuisiner, composant ses menus comme des programmes d'orgue, se servant des épices comme de jeux, ainsi qu'il comptait l'expliquer dans un grand ouvrage en cours de rédaction depuis une dizaine d'années : *De la cuisine considérée comme musique d'orgue*. Chaque dîner lui était occasion d'expérimentation. Ce soir-là, il espérait réussir un coq au vin digne d'un Clérambault. Le dîner, qui va nous occuper pendant ce chapitre et se poursuivre au chapitre suivant, ne sera malheureusement pas, pour des raisons d'économie, d'efforts et de papier ce qu'il aurait dû être : un grand dîner, où se seraient retrouvés tous les personnages essentiels de l'histoire, où le héros, et l'héroïne, placés par la narration (et sous le regard perçant du Narrateur) à deux extrémités initialement opposées (c'est de la position du héros et de l'héroïne dont nous parlons, pas des extrémités elles-mêmes qui restent immobiles) du vaste salon encombré de tables et de lustres, éclatants respectivement de nappes blanches et de lumières éblouissantes, se seraient rapprochés peu à peu d'une manière labyrinthique, fugale et symbolique, découvrant à mesure, en apartés narratifs, les ressorts principaux de l'intrigue et la psychologie riche et fouillée des personnages (ainsi que les critiques, rendant compte de notre roman, n'auraient pas manqué de le remarquer et de nous en faire l'éloge, illustré des comparaisons les plus flatteuses avec Mr P., par exemple). Nous nous y essayerons une autre fois. Non, il s'agit seulement d'un dîner de famille, nécessaire à la narration en ceci qu'il sera interrompu un moment par un coup de téléphone destiné à Yvette.

A ce dîner n'assisteront qu'Yvette, Balbastre dit Babou, le chien, et les membres de la famille Sinouls, à l'exception de Marc, le fils. Sinouls ouvrit une nouvelle bouteille de bière dans la cuisine, déjà fortement aromatisée. A ce moment, la porte d'entrée s'ouvrit violemment et Armance, l'aînée des deux sœurs Sinouls, fit son apparition. Elle embrassa Yvette sur les deux joues (trois exactement, gauche droite gauche : il s'agit de trois baisers et non de trois joues. *Note de l'Auteur*). Puis elle interpella son père :

— Bonsoir, petit père, n'oublie pas que tu me dois des sous.

Sinouls vacilla sous le choc. Les vapeurs du vin, les différentes bières, la présence amicale et compréhensive d'Yvette l'avaient mis dans un état d'euphorie légèrement confuse, et sans comprendre immédiatement de quoi il s'agissait, il opina du chef avec bienveillance, se rendant compte trop tard qu'il venait de perdre un point décisif dans la lutte de tous les instants qui l'opposait à sa fille.

— Mais, commença-t-il avec, hélas, un temps de retard.

— Ah non, tu as dit oui, et Yvette est témoin, rétorqua Armance.

— Il ne veut pas m'acheter les culottes de chez Chantal Thomass qu'il m'a promises, ajouta Armance pour Yvette.

— Je n'ai plus rien à me mettre.

Sinouls s'était repris. Sentant la situation désespérée, et n'ayant plus rien à perdre, il laissa parler son indignation :

— D'abord c'est trop cher et je n'ai pas d'argent. Et puis tout ça, je sais bien à quoi ça va servir !

Le père Sinouls n'arrivait pas à se faire à l'idée que ses filles, après avoir été nubiles, ce qui était déjà invraisemblable, étaient arrivées en âge d'avoir des amants, comme il disait, cette idée lui paraissait énorme, et il mettait beaucoup d'acharnement dans un combat d'arrière-garde (nous pouvons le dire), totalement inefficace. La porte de la cuisine s'ouvrit à nouveau. C'était cette fois la plus jeune des jumelles, et blonde, Julie.

— A propos, dit-elle, Nicole reste dîner.

Nicole se tenait derrière sa copine dans l'embrasure de la porte. Toutes les deux sortaient du bain et étaient complètement nues.

— Tu comprends, dit Sinouls en buvant un large trait de bière pour se remettre, c'est comme ça tout le temps ! Il y en a toujours une ou deux qui se baladent totalement à poil. Je sais bien que je suis vieux, alcoolique et impuissant, mais quand même ! Tous ces petits seins et ces petites fesses et ces petits poils tout neufs, tout tendres, de toutes les teintes, qui s'agitent dans tous les sens, ça m'empêche de me concentrer, je n'arrête pas de faire des fausses notes.

— Ça, dit Yvette, comme dirait Mme Eusèbe, c'est la jeunesse actuelle ! Autrefois on ne se mettait nue que devant son amant quand on était mariée, et encore.

Mais tu devrais pas te plaindre ! Au moins leurs fesses, à tes filles, elles sont pas tordues.

C'était vrai.

— C'est vrai, dit Sinouls, avec un brusque accès d'orgueil paternel, elles sont plutôt appétissantes.

Il n'ajouta pas, comme il l'aurait certainement fait si son épouse ou quelqu'un d'autre s'était trouvé là, « dommage que l'inceste soit interdit de nos jours, même en famille ! », car il savait qu'il était parfaitement inutile d'essayer de choquer Yvette qui en avait vu d'autres.

— Avec tout ça, dit-il, je ne sais pas ce que j'ai fait du laurier. Bon Dieu de bon Dieu, où est-ce qu'elles ont pu fourrer le laurier ? Bordel de bordel, je n'arrive pas à les obliger à avoir un peu d'ordre dans cette foutue baraque !

— Sinouls, dit Yvette patiemment, le laurier, il est devant toi.

Et en effet, il y était.

Regagnant le salon, ils s'enfoncèrent de nouveau dans les fauteuils, laissant les différents ingrédients culinaires macérer, mariner, se mélanger ou cuire, selon le cas. Le soir devenait de plus en plus vespéral, les rayons obliques du soleil couchant doraient la cime des arbres situés perpendiculairement au sol. Sinouls, qui ne pouvait survivre que sur fond sonore (la musique et la radio, disait-il, sont comme le liant de la sauce de l'existence), ouvrit la radio. Une voix grave se fit entendre :

« Interrogé aujourd'hui à l'évêché, Mgr Fustiger a révélé que l'inauguration de la rue de l'Abbé-Migne aurait lieu très prochainement et qu'il assisterait personnellement à la cérémonie, en compagnie de l'ambassadeur de Poldévie. La Poldévie, qui a signé un traité d'amitié pétrolière avec notre pays, s'intéresse particulièrement à cet événement, en raison de la présence sur les lieux de la Chapelle, autrefois située avenue de Chaillot, dédiée à la mémoire du malheureux Prince Poldève Luigi Voudzoï, autrefois décédé d'une chute de cheval. On se souvient... »

— Figure-toi, dit Sinouls à Yvette, que j'ai vu ce vieux salaud de Fustiger ce matin, et qu'il m'a demandé de jouer pour l'inauguration !

Les filles du père Sinouls avaient alors deux fois dix-sept ans (c'est-à-dire dix-sept ans chacune). L'aînée (de très peu) était Armance. Armance était rousse et commençait vraiment sa carrière de rousse, c'est-à-dire qu'elle était en train de devenir dangereuse pour quelques repos. Elle était boudeuse, râleuse, et enchanteuse, tour à tour ou simultanément, selon les jours et le degré hygrométrique de l'air ; elle râlait contre son père, sa mère, son frère, sa sœur, son chien, les amis de ses parents, les siens, ses copains et copines ; elle commençait à s'absenter pendant de larges parties de la nuit, au grand désespoir du père Sinouls, à la fois terriblement fier d'avoir lancé une rousse dans le monde, avec les ravages qui ne manqueraient pas de se produire dans les cœurs des hommes (tous des salauds, comme disait Yvette), et terriblement jaloux. En tant que rousse, et pour se mettre en conformité avec les obligations qui en découlent pour une jeune fille consciente de son devoir, Armance avait découvert l'Angleterre, les couleurs anglaises des feuilles et des automnes qu'elle transférait sur ses vêtements, ainsi que les romans de Jane Austen. Pour son dix-huitième anniversaire, qui était proche, le père Sinouls lui avait promis un voyage par bateau jusqu'à Portsmouth et un petit séjour à Lyme Regis, ville qui est le théâtre de certains des épisodes les plus fameux du roman de Jane Austen, *Persuasion* (nous pouvons recommander les deux, voyage et roman, à nos Lecteurs). Le père Sinouls se promettait à cette occasion une série de visites comparatives et prolongées dans les pubs, ces temples de la bière et de la britannicité (quoique pas exactement la même, en première analyse, que celle de Jane Austen). Armance était, de manière assez constante, en manque d'argent et d'affection, et elle arrondissait son budget dans ces deux domaines en baby-sittant à tour de bras chez les amis les plus producteurs de bébés de ses parents, et chez les plus sympathiques des mères soignées par Yvette ; cela lui donnait des aperçus fort éclairants sur de nombreux intérieurs (qui étaient souvent les mêmes que ceux que son père visitait pour des raisons de zinzin), dont plusieurs se trouvaient précisément sis au 53 de la rue des Citoyens, ce qui n'est pas sans liens avec le déroulement de notre histoire.

Si Armance était rousse et aussi imprévisible que le sol de la Californie ou la Bléonne (qui, comme on le sait, est la rivière qui de Digne va se jeter dans la Durance et dont les changements d'humeur spectaculaires ont amené les habitants à nommer la rue qui la borde la rue « prête à partir ») (un des rôles du romancier, depuis que le roman existe, n'est-il pas d'augmenter le niveau de culture générale des lecteurs ? *Note de l'Auteur en justification de la parenthèse précédente*), sa cadette, Julie était blonde et placide en apparence, comme sa mère ; elle se mettait rarement en colère et, à cette époque encore (mais c'était la dernière année, hélas pour le père Sinouls), à peu près uniquement contre sa sœur, son frère, sa mère, son chien ou autres personnes, et uniquement s'ils s'attaquaient à son père de manière visible, invisible, ou supposée. Elle avançait de manière pondérée dans ses études (Armance, là aussi, était volcanique), plutôt favorable aux sciences, qui demandent le temps de la réflexion, mais, de manière curieuse et assez inexplicable, elle était totalement désarçonnée devant toute espèce d'examen, si jamais il était annoncé comme tel et donnant lieu à notation. Cette particularité, qui inquiétait ses parents et avait causé plus d'un moment de perplexité à ses professeurs, s'était manifestée brusquement un matin, il y a bien longtemps, au moment d'aller en classe, alors qu'elle était encore une petite enfant blonde, et non une jeune fille blonde comme à l'époque des événements que nous relatons (il ne faut jamais oublier de replacer le lecteur dans des conditions telles qu'il puisse distinguer les positions relatives dans le temps des diverses séquences narratives) (toutes les relations entre l'Auteur et nous au moment de la composition de ce chapitre étaient interrompues à la suite de notre refus de lui accorder une avance sur la vente de trente mille exemplaires qu'il réclamait. Nous ne savons pas si cette parenthèse est une exhortation de l'auteur à lui-même, introduite par distraction dans le tapuscrit, ou si elle fait vraiment partie du texte ; dans le doute, nous l'avons maintenue telle quelle, non sans hésitations. *Note de l'Editeur*) ; elle (il s'agit de Julie) s'était brusquement fondue en larmes sur la table de la cuisine (qui n'était pas encore le beau « plan de travail culinaire » que le père Sinouls s'était menuisé depuis), en présence de son petit déjeuner (chocolat au lait et tartines à la confiture d'abricot sur beurre) et de ses parents surpris, en disant :

— Tu comprends, aujourd'hui c'est la composition ; et on va me demander, et il va falloir que je dise que 22 fois 14 ça fait 308, *et je ne le saurai pas !*

Ayant consacré aux portraits d'Armance et de Julie deux paragraphes en respectant l'ordre de primogéniture, il nous faut ajouter quelques mots à propos de leur frère, absent au moment du roman : il était en train de parcourir la Nouvelle-Zélande avec une amie et sa viole de gambe, jouant, devant des publics étonnés de moutons et d'éleveurs de moutons, les concerts de monsieur de Sainte-Colombe. (D'où les lecteurs musiciens auront déduit que son amie était gambiste également, les Concerts de Sainte-Colombe étant à deux violes !)

Suite de la fin du chapitre 9

Nous poursuivons ici le récit des amours d'Alexandre Vladimirovitch et de la jeune Tioutcha. Nous aurions pu aisément insérer ce récit dans la narration humaine et canine qui fait l'objet du corps des chapitres de notre livre, mais nous nous sommes refusé cette facilité ; pour deux raisons :

a) Les amours d'Alexandre Vladimirovitch ne doivent en aucun cas être confondues avec celles des autres personnages parce que :

(i) elles sont princières (je ne veux pas dire par là qu'il n'y a pas d'amours princières dans le corps du récit mais que les amours princières d'Alexandre Vladimirovitch le sont doublement, ce qui n'est pas le cas pour l'autre intrigue amoureuse à laquelle nous faisons allusion).

(ii) elles sont félines.

b) Un chat s'en va tout seul et les chemins de la prose qu'il emprunte n'appartiennent qu'à lui.

Les raisons a) (i) et (ii) et b) nous imposaient donc d'éviter tout mélange.

(Suite au deuxième entre-deux-chapitres.)

Chapitre 12

Le dîner chez les Sinouls (suite et fin : le dîner proprement dit et le coup de téléphone)

Le père Sinouls envoya sa fille chercher du pain et un complément de provision de bière, car il avait peur d'en manquer. Il faisait maintenant franchement nuit. L'odeur du tilleul pénétrait, et même quelques moustiques. On alluma les lampes ; on sortit cinq assiettes du buffet ainsi que des couteaux, des fourchettes, des cuillers et des verres ; on mit une serviette propre pour Yvette ; le père Sinouls consentit à arrêter la radio. On mangea des radis beurre avec du sel, des concombres à la crème, une petite portion de champignons à la grecque. Le père Sinouls restait debout avec sa chope, une immense chope allemande qu'il avait rapportée de Düsseldorf où il était allé faire un concert. Il n'aimait pas s'asseoir à table avant la fin du repas car, obligé de se relever sans cesse pour vérifier l'état de cuisson de ses plats, il préférait économiser quelques démarrages pénibles en raison de sa corpulence. Après les hors-d'œuvre, on mangea le coq au vin, qui fut comparé aux différents coqs au vin de l'histoire familiale, ainsi qu'aux coqs au vin des amis et concurrents ; on le déclara excellent. On marcha parfois sur la queue ou une patte de

Balbastre, qui était toujours sur le chemin de quelqu'un ; il fut chaque fois engueulé.

Yvette et le père Sinouls monologuaient simultanément et indépendamment l'un en direction de l'autre. Armance râlait. Julie commençait à s'inquiéter à cause du théorème de Desargues (ou peut-être à cause du théorème de Pappus, nos renseignements sont incomplets à ce sujet). Mme Sinouls se taisait avec bienveillance. On admira l'onctuosité d'un Brebis, une Brousse encore toute humide. Les assiettes sales s'empilèrent et disparurent. On sortit les gâteaux ; il y avait six gâteaux bien grémeux de chez Mme Groichant : une religieuse, un éclair au café et un éclair au chocolat, une autre religieuse (au chocolat, la première étant au café), une tarte aux fraises couverte et étouffée de chantilly et une construction multicolore indistincte de composition et de section losange dont Armance s'empara immédiatement. Le père Sinouls déclina toute pâtisserie. Il offrit à Yvette des framboises du jardin qui commençaient, précocement, à rougir les buissons et à parfumer l'air ; on en prit tous. On y ajouta de la crème épaisse en pot, saupoudrée de sucre ; le jus de framboise, mêlé à la crème un peu ocre et au sucre ruisselait rosément dans les assiettes. Le père Sinouls alla faire du vrai café pour Yvette et lui-même, il versa deux petits verres de poire et un doigt de verveine pour Mme Sinouls. Armance se leva, embrassa Yvette sur les trois joues et dit : « Ciao » ; sur ce, elle sortit. Sa destination n'ayant pas d'incidence directe sur la suite, nous ne la révélerons pas. Le visage du père Sinouls était déformé de jalousie.

La table était maintenant vide ; toutes les nourritures, toutes les boissons avaient disparu, englouties ; le sentiment de l'éphémère, du transitoire se mêlait inexorablement à la satisfaction digestive ; les rumeurs de la nuit parvenaient : les bruits de mandibules des insectes dans le jardin, la circulation affaiblie par la distance, la ponctuation des cloches guduliennes. Les réminiscences étaient proches, précédant ou accompagnant la somnolence. Des tas de miettes jonchaient inégalement les emplacements des différents convives. Il faisait chaud. On proposa quelques moments de digestion rêveuse dans le jardin, avant de se séparer pour la nuit. Il y avait des chaises métalliques blanches à jours, dites « de jardin », des chaises longues d'incertaine stabilité, une chaise en rotin (nous ignorons ce qu'est le rotin mais il y a toujours une chaise en rotin dans de telles circonstances romanesques). Avant de sortir, Sinouls alluma le zinzin.

Le zinzin était l'orgueil et le chef-d'œuvre du père Sinouls. N'ayant pas les moyens financiers (à cause de la bière et de sa famille), ni géographiques (sa maison n'était pas assez grande), de s'offrir un orgue, il avait construit ce qui pouvait s'en rapprocher le plus (en tout cas, pour la puissance sonore, comme les voisins l'avaient appris à leur détriment) et c'était le zinzin. Au cours des années, le zinzin s'était lentement amélioré, bénéficiant par accrétions, essais et approximations successifs (il approchait de la perfection, dont l'existence est assurée par un théorème de point fixe), de tous les progrès de la technique en matière de son et de haute fidélité. Le père Sinouls faisait tous les montages lui-même, changeait les connections, soudait les soudures (ce qui assurait un contingent non négligeable de pannes incompréhensibles, car il perdait constamment les croquis qu'il faisait des montages électriques), et surtout un emmêlement général de fils dépassant de partout, de toutes directions et de toutes couleurs, qui était du plus bel effet.

Pour parvenir à ce résultat, le père Sinouls avait mis au point un système très perfectionné. Tous ses amis avaient des zinzins, qu'il installait lui-même. Il allait chez eux, examinait les lieux, les interrogeait sur leurs besoins esthétiques, musicaux, les questionnait sur leurs possibilités financières (ils devaient tenir en réserve, pour ces visites, un stock de bière, ce qui donnait à Sinouls une série de relais, lors de ses déplacements dans la ville pour explorer les magasins de matériel pour zinzins), recueillait leurs confidences intimes et donnait son verdict : les plus novices voyaient leur zinzin construit à partir des morceaux revendus du zinzin d'un autre membre du circuit Sinouls, plus avancé musicalement et financièrement. Et enfin, après toute une série de tels échanges, transports et réinstallations (accompagnés chaque fois de bière et de confidences), il pouvait, enfin, acquérir, lui, le nouvel élément indispensable à son propre zinzin, pour presque rien, et en étant sûr qu'aucun zinzin de ses amis n'avait de supériorité sur le sien. Yvette venait souvent écouter de la musique chez Sinouls, ce qui fait qu'il était obligé d'avoir des opéras de Verdi dans sa discothèque. Mais ce soir-là, il mit un Carl Philip Emmanuel Bach au clavicorde, le seul choix possible pour le lieu et le moment. Balbastre s'était endormi et soupirait en agitant les pattes convulsivement.

— Je suis sûr, dit Sinouls, qu'il rêve à Voltige.

Voltige avait été l'unique amour de Balbastre, une petite chienne blanche et bouclée qui avait habité, il y avait déjà longtemps, la maison située au fond du jardin et faisant face à celle des Sinouls. Alors jeune chien bouillant, il avait couru frénétiquement le long de la grille, pendant qu'elle jouait coquettement dans l'herbe de l'autre côté, protégée de ses assiduités par l'obstacle de fer et par le snobisme de ses maîtres qui avaient refusé, même devant les supplications d'Armance et de Julie, émues de la souffrance amoureuse de leur chien, toute fréquentation de ce roturier sans pédigré à leur noble Voltige. Puis ils étaient partis, Voltige avait disparu mais sa mémoire était restée intacte au cœur de Balbastre.

Le père Sinouls, avec sa voix de grand orgue, cria : « Voltige ! », et aussitôt Balbastre, réveillé en sursaut, courut frénétiquement vers le fond du jardin et fit plusieurs fois l'aller et retour le long de la grille, en aboyant dans un registre plus proche de l'*Ave Maria* de Gounod que de son registre habituel, qui se situait dans la tradition de l'école française d'orgue du XVIIIe siècle finissant, ce qui lui avait valu son nom. Sinouls et Yvette se tordaient de rire.

— Arrête de torturer cette pauvre bête, dit doucement Mme Sinouls.

Balbastre se découragea, jeta un coup d'œil de reproche à son maître, se recoucha et se rendormit. Le silence se fit sur le quatuor de personnages installés dans le jardin.

Yvette et Mme Sinouls projetaient pour le dimanche quelque exposition ; elles hésitaient entre Getzler et Guyomard ; ou peut-être un peu de peinture victorienne ; on disait du bien de l'exposition de sculpture vieux-poldève. Julie se leva pour faire la vaisselle avant de se coucher. Le père Sinouls se sentit vaguement inconfortable ; peut-être avait-il, pensait-il, un peu bu. Il n'arrivait pas à se concentrer sur le problème, de plus en plus urgent, de son programme d'inauguration. Il sentait et craignait l'insomnie proche. Il avait de plus en plus d'insomnies à cause de la bière, et des soucis financiers et sentimentaux que lui causait le grandissement intempestif et accéléré de ses enfants, particulièrement de ses filles.

— Je bois pour oublier, disait-il parfois à Yvette.

— Oublier quoi ?

— Oublier que je bois.

Le hérisson familial commença à s'affairer dans le grand buisson de laurier-rose à côté des framboisiers. Le père Sinouls s'était endormi à son tour ; Balbastre et lui ronflaient côte à côte. A ce moment, le téléphone sonna.

— Yvette, c'est pour toi ! Téléphone ! (voix de Julie)

— Qui c'est ?

— ... (Nous nous plaçons momentanément du point de vue du personnage d'Yvette, et nous indiquons ainsi qu'elle n'a pas entendu la réponse.)

— Quoi ?

— C'est Hortense ! au téléphone !

— On y va ! on y va !

Du temps passa.

Le père Sinouls avait été réveillé par la sonnerie et la conversation subséquente, et attendait avec impatience le retour d'Yvette, car il adorait les petites histoires de tous ses amis et connaissances, et Yvette, de par sa profession, son franc-parler et ses capacités alcooliques, était une source inépuisable de telles informations, qui lui permettaient (à Sinouls) d'améliorer la qualité de ses jugements sur l'état de « notre belle société » (nous citons). Nouveau socio-physiognomoniste, héritier de Lavater et de Souriau, le père Sinouls avait une théorie classificatoire des types humains d'un plus haut intérêt que nous ne manquerions pas de faire partager à nos Lecteurs, si nous en avions le temps narratif bien entendu.

Du temps passa encore, comme les lignes de blanc plus haut et maintenant l'incise l'ont indiqué.

Après l'écoulement de ce temps, Yvette revint. Sur son visage resplendissait la confidence stricte brûlant de se transmettre.

— Alors, dit Sinouls.

— C'était Hortense, dit Yvette, ce que personne n'ignorait, pas même Balbastre qui assistait toujours aux conversations téléphoniques.

— Et alors ?

— Elle est amoureuse !

L'intérêt du père Sinouls baissa d'un cran. Qu'Hortense fût amoureuse était une nouvelle dont la fréquence diminuait beaucoup la nouveauté, toujours charmante à vivre, certes, pour l'intéressée, mais perdant pas mal d'intensité au cours d'une double transmission. Une variante était : elle n'est plus amoureuse, elle a rompu et a le cœur brisé, il est parti, le salaud, le salaud, tu sais pas ce qu'il lui a demandé ? Une autre variante encore était : elle est amoureuse. « Tu l'as déjà dit », disait Sinouls dont la mémoire, si oublieuse généralement, était sur ces questions absolument infaillible. « Tu l'as déjà dit mardi dernier. — Oui mais mardi dernier, c'était X et maintenant, c'est Y. — Mais tu n'as pas dit qu'elle n'aimait plus X. — Je ne l'ai pas dit parce que ce n'est pas vrai, maintenant elle est amoureuse de X *et* d'Y. » Cette variante, parmi toutes les possibilités du calcul des propositions amoureuses, était la plus intéressante, mais ce n'était certainement pas le cas, se dit Sinouls, car Hortense passait récemment par une phase à la fois laborieuse et sentimentalement désertique.

— Ah, dit Sinouls avec un soupçon d'indifférence, et qui c'est cette fois, ou plutôt, pour commencer par le commencement, depuis quand ?

— Depuis cet après-midi, dit Yvette.

L'intérêt du père Sinouls remonta brusquement. Voilà qui était vraiment nouveau. C'était la première fois qu'il se trouvait, pour ainsi dire, aux premières loges, car généralement Hortense attendait un certain temps avant de se confier à Yvette et de lui révéler l'état des tribulations de son âme (comme on disait au XVIIIe siècle), accompagné parfois, quand le besoin s'en faisait sentir, d'un examen de l'état des lieux (si vous nous suivez bien) ; et par ailleurs, Yvette elle-même ne se précipitait pas immédiatement chez son ami Sinouls pour lui en faire part. L'annonce téléphonique de l'événement conférait à celui-ci, ainsi que le fait de la présence d'Yvette, un caractère insolite, cette originalité qui est comme le paprika pour le goulash ou le safran pour la soupe de poisson.

— Raconte, dit Sinouls, complètement réveillé.

— Eh bien voilà, dit Yvette.

Chapitre 13

La séduction d'Hortense

Nous avons laissé nos Lecteurs à la fin du précédent chapitre suspendus, comme le père Sinouls, aux lèvres d'Yvette et attendant de connaître d'elle ce qui l'avait amenée, à la suite de confidences téléphoniques, à prononcer au sujet d'Hortense le verdict : « Elle est amoureuse ! » Notre intention, en vous soumettant au choc d'une telle attente, n'était pas bêtement de créer, comme on disait autrefois dans les comptes rendus des films de Hitchcock, du « suspense » ; nous répugnons devant de telles facilités, mais plus généreusement pensons-nous parce que nous désirons, et quoi de plus adéquat pour cela que le chapitre numéroté 13 (notre directeur commercial, je veux dire le directeur commercial de notre éditeur, qui a fait ses études dans une business school américaine et a été particulièrement formé au management de l'hôtellerie, ce qui le qualifie tout spécialement pour s'occuper de livres, a fait remarquer au comité de lecture qui m'a transmis son observation que, de même que les grands hôtels new-yorkais, ceux qui font de bonnes affaires, n'ont pas de treizième étage afin de ne pas effrayer les 63, 12 % de la clientèle qui sont superstitieux, il serait bon de suggérer à l'auteur d'éviter un treizième chapitre (les lecteurs de romans qui ne sont que pour 46,29 %, certes, des clients de l'hôtellerie, mais pour 79,11 % néanmoins superstitieux) et de passer donc directement du chapitre 12 au chapitre 14. Mais nous avons été intraitable : étant donné la suite du roman, que nous sommes seul à connaître (le directeur commercial ni le comité de lecture n'étant supposés, pas plus que les critiques, lire aussi loin), avant les nombreux lecteurs, il importe que l'événement crucial qui y est rapporté soit précisément l'objet d'un chapitre 13, et nous sommes parfaitement au courant de toutes les implications anankéistes et existentielles qui s'attachent à ce chiffre (qui est, entre parenthèses ceci dit, un nombre premier, mais pas un nombre de Queneau). Nous avons donc repoussé avec douceur mais fermeté la suggestion du directeur commercial, faisant observer, avec une discrète ironie, qu'avec de tels raisonnements (les siens), on ne pourrait plus faire passer un personnage sous une échelle dans un roman, ce qui nuirait certainement à la qualité de la prose, qui déjà ne se porte pas si bien. Nous avons eu gain de cause, et c'est pourquoi il y a un chapitre 13, que nous nous empressons maintenant de poursuivre avant qu'ironiquement, la relation, nécessaire pour des raisons éthiques de cette mise au point, ne prenne tant de place qu'elle ne relègue au chapitre 14 ce dont nous avons pris tant de soin d'établir qu'il ne pouvait se trouver qu'ici). (Fin de la parenthèse.)

Quoi de plus adéquat, donc, que ce treizième chapitre pour la narration, en direct, de l'enchaînement de paroles et de gestes ayant amené Hortense, si nous en croyons Yvette, à s'exprimer au téléphone de manière telle qu'elle (Yvette) puisse se sentir justifiée de résumer la conversation, pour Balbastre et les Sinouls (pour Balbastre, certes, c'était dur, étant donné son amour impossible pour Voltige, lointaine et perdue) en ces termes :

— Elle est amoureuse !

Nous voici donc revenus à cette fin de matinée où Hortense, levant les yeux de ses livres à cause d'une jambe qui venait frotter la sienne sous la table, à la Bibliothèque, se trouva nez à nez (quoique avec une distance décente entre les nez) avec le jeune homme de l'autobus T.

Il lui sourit.

Elle lui sourit, ne sachant trop que faire. Il était en train de lire un journal dans lequel il se replongea aussitôt. C'était le *Times* (de Londres). Un peu décontenancée par l'absence de suivi de cette coïncidence, Hortense se remit à sa lecture. Puis elle se leva pour vérifier une cote. Quand elle revint, il y avait sur sa table un de ces petits papiers blancs tant redoutés des lecteurs de la Bibliothèque, ces petits papiers qui informaient le lecteur occupant la place tant qu'il devait se rendre au bureau de la salle de lecture pour s'entendre dire avec sévérité que le livre qu'il avait demandé était incommunicable pour une des quarante-quatre raisons inventées par la Bibliothèque.

Or le papier portait ceci, écrit à l'encre rouge très lisiblement : « Le lecteur occupant la place 53 serait très heureux si vous acceptiez de prendre un pot en sa compagnie. »

Hortense jeta un coup d'œil rapide sur les tables. C'était lui.

N'ayant jamais été encore abordée de cette manière, elle se trouva une instant incertaine. Mais les premières paroles du jeune homme dans l'autobus (où les avait-elle déjà entendues, ou lues ? elle ne savait, et vous, cher Lecteur, qu'en pensez-vous ?), son apparition brusque, sa lecture du *Times*, le beau temps, chaud, ensoleillé mais point trop chaud à la fois, tout cela l'inclinait à la bienveillance. Elle le regarda et son regard disait oui. Il se leva et tous deux sortirent de la Bibliothèque.

Les tête-à-tête comme celui auquel se préparaient Hortense et le jeune homme de l'autobus T avaient lieu au bistrot *La Fausse Cote*, situé de l'autre côté du jardin à fontaine géographique, si attirant pour les lecteurs en ces jours agréablement saisonniers. On s'y rencontrait aussi pour des raisons de travail, échangeant des bibliographies ou des tuyaux secrets pour la localisation et l'obtention des livres. En traversant le jardin, Hortense était de plus en plus consciente de l'extrême légèreté et insuffisance de ses vêtements, mais elle ne savait trop comment se protéger du regard de son compagnon, sans attirer par là même l'attention sur les défauts de sa cuirasse. Cependant, le jeune homme ne semblait pas montrer une curiosité très grande pour ces questions, et Hortense en fut rassurée mais en même temps déçue. Ils traversèrent le jardin, commentant paresseusement l'excellence climatique qui ne durerait sans doute pas et entrèrent dans le bistrot.

Le garçon, qui était un grand admirateur d'Hortense, lui fit un large clin d'œil qu'elle s'efforça de ne pas remarquer ; à cette heure de la journée déjà, il était dans un état d'ivresse joviale assez avancé mais encore opératoire, c'est-à-dire qu'on pouvait penser qu'il ne renverserait pas les verres demandés. Hortense et le jeune homme demandèrent, respectivement un Schweppes et un café. Gaston, le serveur, fit à Hortense sa remarque habituelle :

— Ils ont bien de la chance de vous avoir, là-bas, ça doit les changer de leurs vieux livres poussiéreux.

Son visage, couleur uniformément viticole, en était encore seulement au Beaujolais (vers la fin de l'après-midi, il atteignait le sombre de certains Bordeaux, et parfois même, de vin gris). Hortense s'était demandé longtemps comment il arrivait à cet état d'ivresse, alors que sa patronne, à l'air extrêmement sévère, le surveillait, et ne lui permettait certainement pas de boire au comptoir ; elle avait fini par découvrir sa stratégie : les tables de *La Fausse Cote* étaient séparées du comptoir par un aquarium à poissons rouges encombré et surmonté de plantes vertes qui arrivaient presque à hauteur d'homme. Gastounet, le garçon, transportait au comptoir son plateau avec les verres et tasses sales, le vidait et le remplissait ensuite des nouvelles commandes : un Schweppes, un café, deux demis, un quart Vichy, un ballon de Beaujolais par exemple ; d'un preste mouvement il prenait alors la bouteille de Beaujolais ou de Côte-du-Rhône sous le comptoir et ajoutait un verre de vin d'une commande fantôme qu'il emmenait sur son plateau avec les autres ; et puis, avec la vitesse de l'éclair, ayant servi les clients et au moment de retourner au comptoir pour une commande nouvelle, dissimulé une seconde au regard patronal derrière la plus haute des plantes vertes, il vidait en un dixième de seconde le verre encore plein et le ramenait innocemment, avec une petite lueur de satisfaction dans ses yeux vineux, et un nouveau mais très perceptible assombrissement dans la teinte de ses joues. Hortense, seule peut-être parmi les clients habituels de *La Fausse Cote*, avait surpris ce manège, et Gastounet qui était très fier de sa tactique la considérait depuis comme faisant partie de sa famille. Il surveillait ses fréquentations, indiquant par une gamme extrêmement variée de grimaces et mimiques des yeux son jugement sur les différents amants, amoureux, anciens, présents ou futurs d'Hortense qui l'accompagnaient parfois dans le café. Sa réaction, quand Hortense avait eu son unique et mémorable entrevue avec son maître, Orsells, avait été extrêmement défavorable, et bien sûr, Hortense ne pouvait pas lui expliquer que ses relations avec Orsells étaient d'un ordre tout à fait différent. Ce jour-là, il se contenta de jeter un coup d'œil amusé au jeune homme, mais il ne manifesta rien. Hortense lui en fut très reconnaissante, sans trop savoir pourquoi.

Chapitre 14

Encore Hortense : sa séduction (fin)

— Le gauche n'est pas mal non plus, dit le jeune homme, reprenant son thème conversationnel abordé dans l'autobus et abandonné depuis.

Nous ne pouvons malheureusement pas le désigner autrement que par « le jeune homme », car Hortense, notre héroïne, dont nous adoptons le point de vue depuis le précédent chapitre, ignore encore son nom. Nous ne pouvons malheureusement pas non plus, mais, cette fois, à cause d'une nécessité narrative impérieuse, le décrire, sinon par ceci : il était vêtu de noir, accompagné d'une petite mallette qu'il tenait très près de lui, sous sa chaise de bistrot. Son allure générale donnait l'impression d'une très légère absence et imprécision de traits comme s'il était, en quelque sorte, un peu un frère de soi-même. Après cette phrase introductive, il entreprit d'interroger Hortense sur sa présence à la Bibliothèque, sur ce qu'elle y faisait, si elle y venait souvent. Il ne proposa aucune explication du fait qu'il s'y trouvait lui-même. Hortense, qui avait été, au premier moment, sûre qu'elle en était la raison, en vint à se demander s'il ne s'agissait pas d'une coïncidence.

Cependant, comme elle parlait volontiers de son travail, qui la passionnait, elle se lança dans de longues explications sur le système philosophique d'Orsells auquel le jeune homme parut prêter une très grande attention. Il se tenait très immobile, les coudes sur la table, écoutant et regardant, posant parfois une question pour indiquer son intérêt soutenu. Hortense parlait, et voilà que soudainement elle se rendit compte de deux choses.

Premièrement que le regard du jeune homme était nettement descendu de ses lèvres à un point situé grosso modo à une main, une main et demie, en dessous, que deuxièmement les parties de sa personne soumises à ce regard, et très peu protégées par sa robe (car Hortense, si elle n'omettait qu'involontairement le port de la culotte, limitait à peu près toujours là sa gamme de dessous), avaient réagi sans qu'elle s'en doute d'une façon indiscutable, ce que, de plus, il était totalement impossible de ne pas remarquer. Elle faillit en perdre le souffle. Une sorte de tiédeur l'avait envahie et elle se dit en elle-même : ça y est. Hortense venait d'éprouver ce que Mme Eusèbe, avec son vocabulaire d'autrefois, aurait appelé *le coup de foudre* (elle, Mme Eusèbe, ne l'avait éprouvé avec aucun Eusèbe, ni père ni fils, son époux, pas même avec Alexandre Vladimirovitch que pourtant elle aimait passionnément ; elle avait pour Eusèbe une vieille affection un peu méprisante. Cela ne veut pas dire qu'elle ne connaissait cet état que de manière livresque, ou dirons-nous plutôt, romanphotoesque ; Mme Eusèbe, un jour, avait eu le coup de foudre. Tout cela fait partie de son coupable secret, sur lequel nous avons levé une partie du voile, mais qu'il faut laisser retomber maintenant). Continuant à parler sans plus trop savoir ce qu'elle disait, et passant sans s'en rendre compte du système orsellien à une réminiscence automatique d'un exposé sur Hume qu'elle avait fait dans sa classe de terminale au lycée du temps de ses premiers amants, Hortense se demandait ce qui allait se passer maintenant, car le jeune homme ne paraissait se douter de rien, bien que la direction invariable de son regard on ne peut plus franc rendit l'hypothèse totalement invraisemblable.

Des minutes passèrent. Le trouble d'Hortense commençait à gagner des régions inférieures, heureusement protégées par la table du bistrot ; son discours devenait, elle s'en rendait compte, de plus en plus incohérent. Elle avait l'impression (erronée) de rougir. Sa robe lui pesait, ce qui était pour le moins paradoxal, et aurait certainement vexé celui qui l'avait dessinée et conçue. Enfin, au bout de ce temps interminable (en fait pas plus de six minutes), le jeune homme sortit un porte-monnaie noir de sa poche, inspecta attentivement le gribouillis surajouté à la frappe invisible de la caisse par Gastounet, comme s'il s'agissait d'un manuscrit du XIIe siècle, prit dans le porte-monnaie une poignée de pièces dont il regarda les dénominations comme s'il ne les reconnaissait pas, en choisit quelques-unes, reposa un instant son regard sur la région du corps d'Hortense qui l'avait occupé jusque-là, et dit :

— Il y a vraiment trop de monde ici. Il faudrait que nous allions ailleurs, car je ne suis plus très bien ce que vous m'expliquez.

— Puisqu'il en est ainsi, dit le jeune homme (ils se trouvaient de nouveau dans l'autobus T), comment vous appelez-vous ?

— Je vous le donne en trois, répondit Hortense qui se sentait retomber à toute vitesse en adolescence.
— Agathe ?
— Non.
— Clémence ?
— Non, réussit à dire Hortense avec les plus grandes difficultés d'élocution, car *Clémence était son deuxième prénom*.
— Alors Hortense ? dit-il.

L'appartement, offert à Hortense par son père sadique avec les bénéfices de la Haute Charcuterie, était situé dans la maison XVIIe rénovée, située de l'autre côté du carrefour Citoyens-Vieille-des-Archives et diagonalement en face du coin du 53 de la rue des Citoyens. Elle occupait au dernier étage, en retrait, une étendue de quatre grandes pièces à niveau variable, s'ouvrant sur une terrasse qui regardait, en arrière, sur les jardins du couvent des Amandines ; ce qui fait que les bruits de la rue n'y parvenaient guère. En entrant chez elle, Hortense alla immédiatement faire pipi et mettre une culotte, ce qui était peut-être un peu absurde, étant donné le fait que, selon toute vraisemblance, elle ne la garderait pas longtemps, mais les détours de l'âme féminine, nous le savons, sont infinis, et même un romancier qui a consacré, comme nous, de nombreuses heures de son existence à cette étude (comme c'est, paraît-il, la formation standard du romancier) ne peut prétendre en avoir élucidé tous les ressorts.

Cette opération fut très rapide, mais Hortense en profita pour jeter un coup d'œil elle-même dans le miroir, afin de vérifier une dernière fois que tout était en place et acceptable. Elle savait (les regards, les paroles et les actes des hommes, et pas seulement des hommes, étaient on ne peut plus explicites à ce sujet) qu'elle n'était point trop mal faite, pouvait passer pour jolie, ou parfois même pour belle, en tout cas pour stimulante, mais elle était d'une très grande modestie et incertitude d'elle-même, croyait à une sorte d'erreur fatale, générale, qui ne manquerait pas de se dissiper un jour, la laissant au fond dans le rang de la banalité. Elle ne reconnaissait à son corps qu'une seule qualité certaine, celle de ses fesses, et particulièrement le fait qu'elles se transformaient de manière totalement indiscernable, sans frontières, en ses cuisses, dessinant une courbe que, se retournant, elle pouvait voir et apprécier comme élégante. Elle remit sa robe et revint au salon. Celui-ci était très grand, couvert d'une moquette douce et blanche (un cauchemar pour sa femme de ménage), séparé en deux par une dénivellation de deux marches, et longé d'une grande baie vitrée donnant sur la terrasse où elle pouvait, les jours de soleil, au grand enthousiasme du colonel en retraite Des Arièresaizons qui, armé de ses jumelles, n'en perdait pas une minute, assurer à la totalité de sa peau, à la fois dessus et dessous, une teinte caramel doux uniforme, ce qui était indispensable à cause de la particularité anatomique que nous avons signalée, qui aurait été gâchée si la ligne blanche d'un maillot ou d'une culotte était venue rétablir artificiellement ce passage de fesse à cuisse que la nature avait voulu si parfait.

Le jeune homme était plongé dans l'examen des petits bibelots, dons de sa grand-mère, qu'elle avait disposés sur la cheminée. Hortense lui demanda s'il avait soif, et il dit qu'il boirait volontiers un peu d'eau. Elle alla dans son immense frigidaire blanc où se trouvaient quelques bouteilles, et pour seule nourriture une douzaine d'œufs à côté d'un paquet de spaghettis Panzani. Elle sortit deux verres qu'elle posa sur une table basse près du sofa et y versa de la Badoit ; les verres se couvrirent immédiatement de buée ; elle s'assit au bord du sofa et il s'assit dans un fauteuil en face d'elle, de l'autre côté de la table basse ; il ne la regardait pas directement, mais le même phénomène qu'au café se produisit de nouveau ne lui laissant aucun doute sur la réalité foudroyante de ses sentiments.

Ils burent.

Il y eut comme un silence.

— Où en étions-nous ? dit le jeune homme.

Hortense aurait été bien en peine de répondre à cette question : s'il s'agissait de l'exposé de la théorie orsellienne qu'elle avait commencé à sa demande dans le bistrot, elle ne savait plus du tout où elle en était, et qui plus est, elle n'avait aucune envie de le savoir. S'il s'agissait d'autre chose, elle pensait savoir à peu près où ils en étaient, mais elle attendait surtout la suite. Sans dévier d'un pouce son regard comme s'il craignait, s'il venait à le détourner, de faire disparaître l'effet qu'il semblait produire sur les seins d'Hortense, le jeune homme sourit. Hortense avala une grande gorgée de Badoit froide et reposa son verre. Le jeune homme posa le sien et lui prit la main. Puis il enjamba la table basse et s'assit sur le sofa, à sa gauche. Hortense en fut soulagée, car elle avait craint qu'il ne se place à sa droite (comme cela se passait avec vingt-huit pour cent des hommes qui désiraient la séduire, et elle n'aimait pas cela du tout). Tout demeurait parfait.

Aussitôt placé à sa gauche, le jeune homme prit le

visage d'Hortense dans ses deux mains et l'embrassa doucement sur les lèvres, mais sans insister, puis il l'embrassa sur les tempes, les joues, le menton, la joue gauche, la tempe gauche, le front et ayant achevé ainsi un tour complet dans le sens inverse des aiguilles d'une montre, ce qui, comme chacun sait, est le sens trigonométrique direct cher aux mathématiciens non poldèves, car les Poldèves calculent dans l'autre sens, il lui souleva le menton et l'embrassa sur le cou, puis tournant autour du cou l'embrassa sur la nuque, se permettant dans cette région duveteuse, parfumée et ensoleillée, un petit coup de dent aigu et rapide qui fit descendre le long de la colonne vertébrale d'Hortense ce que les romans-photos de Mme Eusèbe auraient appelé un grand frisson, et qui était tout simplement un déplacement d'influx nerveux extrêmement agréable. Cependant, la main gauche du jeune homme, libérée par le baiser plus sérieux qu'il lui donnait maintenant (la main droite lui tenant la nuque), s'orientait avec décision vers la jambe d'Hortense, passant lentement et légèrement sur le genou gauche, elle remontait sous la robe le long de la cuisse, en vérifiant à mesure la consistance et la forme. L'examen se révéla très favorable, du moins si l'insistance et l'ardeur de la langue pouvaient être attribuées à un tel jugement. En arrivant en haut de la cuisse la main eut une brusque hésitation en rencontrant le bord de la culotte. C'était une culotte des grandes occasions, spécialement éprouvée, rose et douce et minime, et Hortense n'avait pas hésité une minute à la choisir, ce qui prouvait l'intensité de son état. Mais la main du jeune homme ne s'attendait manifestement pas à cette rencontre, ses regards précédents, dans le jardin de la Bibliothèque ou dans l'autobus, lui avaient certainement donné à penser qu'elle ne rencontrerait aucun obstacle, même aussi attirant.

Après une seconde d'hésitation perceptible, la main reprit sa marche, pendant que le baiser s'interrompait et que la main droite venait se placer sur la hanche droite d'Hortense (par un mouvement d'enveloppement en arrière du corps de l'héroïne, si vous nous suivez bien) qu'elle entreprit d'évaluer avec insistance (il faut dire qu'elle le méritait par sa rondeur pleine). La main gauche, donc, reprit son avance, mais loin de chercher à s'insinuer entre la minuscule étoffe et la chair pour aborder les régions les plus décisives, elle se déplaça sur la culotte, en une caresse qui donnait à la paume la mesure exacte du volume de ce que nous nous permettons de nommer la chevelure intime d'Hortense, faute de terme plus précis, et dans l'ignorance où nous sommes de l'état actuel des lois sur la pornographie.

Cette action mit Hortense à la limite de ses possibilités de patience. Elle était restée jusqu'alors parfaitement malléable et immobile, sans résistance ni initiative, ce qui lui semblait un signe nouveau de l'importance de l'événement, puisqu'il lui ôtait toute faculté de mouvement. Mais elle ne put, à ce moment, s'éviter comme un gémissement. Le jeune homme, avec rapidité et décision, (Hortense soulevant au moment voulu ses fesses, de manière spontanée) enleva la robe. Hortense se retrouva nue, à l'exception bien entendu de sa culotte, qui se révéla couleur caramel, presque de la même teinte que sa peau. Le jeune homme ne chercha pas à l'enlever et Hortense sentit qu'il y avait là comme un très léger reproche, une punition pour la surprise qu'elle lui avait causée. Elle n'en éprouva pas de l'inquiétude, ni de la déception, au contraire. Les seins d'Hortense, cependant, n'avaient pas cessé d'être dans la situation d'espoir où ils s'étaient déjà trouvés à *La Fausse Cote*, et le jeune homme entreprit de les mordre légèrement l'un après l'autre tout en les soulevant de ses mains vers son visage. Il en fut ainsi assez longtemps, et enfin, se levant, lui-même toujours impeccablement habillé de noir, il prit Hortense par la main, et elle le guida vers sa chambre.

C'était une grande chambre spacieuse et confortable, avec un très grand lit bas et plusieurs oreillers. Sur la cheminée... (mais nous arrêterons là la description de la chambre d'Hortense qui, bien que passionnante et nécessaire, n'est probablement pas ce à quoi nos lecteurs s'attendent pour l'instant). Hortense s'allongea sur le dos. Le jeune homme, alors, qui avait toujours avec lui sa mallette en sortit une trousse de toilette dont il tira une brosse à dent verte, un tube de dentifrice de la marque Sensodyne, un rasoir mécanique Gillette, la lame déjà en place, un tube de mousse à raser en bombe w.c. Williams. Il alla sans hésitation vers la deuxième porte qui donnait sur la salle de bains, l'ouvrit, fit une petite place sur la tablette de lavabo pour ces objets, les posa, revint dans la chambre, referma la mallette (noire), la posa au pied d'une chaise où il commença à ranger soigneusement ses habits à mesure qu'il les enlevait. Il enleva sa chemise après sa veste, puis son pantalon après ses souliers (noirs) et ses chaussettes (bleu sombre), et enfin son slip (rouge). Il était nu. Il tournait le dos à Hortense qui attendait sur le lit, et elle put admirer ce qu'il y avait à admirer, car c'était un beau jeune homme. Au moment où il se retournait vers elle, et elle put constater alors à une certaine distance du sol qu'elle ne lui était pas indifférente, il lui dit :

— Tu as des fesses parfaitement parfaites. Les fesses parfaitement parfaites sont celles qui se changent sans transition en cuisses, sans qu'il soit possible de dire avec précision où cesse la fesse et où commence la cuisse. Tes fesses sont le deuxième couple de fesses ayant ces propriétés qu'il m'a été donné de voir. Merci.

Et Hortense connut alors qu'elle était amoureuse. Et jalouse.

Le jeune homme s'approcha du lit et, se penchant mais restant debout, il lui enleva sa culotte, et elle fut, enfin, complètement nue. C'est donc le moment d'achever la description d'Hortense. Ce portrait de l'héroïne que nous avons annoncé au chapitre 2.

Nous nous excusons du fait que ce portrait n'est pas présenté dans les conditions idéales, où le lecteur serait seul avec Hortense, et pourrait la contempler tout à loisir. Le jeune homme est là, avec des intentions extrêmement nettes qui sont les siennes, nécessitées par son luxurieux désir et le déroulement de l'intrigue, et le lecteur ne pourra s'attarder longuement car il apparaît que le dénouement est proche. Nous nous excusons, d'autre part, de mettre le lecteur dans une situation de voyeur, il n'y a rien à faire et de toute façon, si ce n'était pas le jeune homme en question, ce serait sans doute un autre, peut-être même pas jeune du tout, ce serait l'Auteur seul peut-être, et de toute façon nous serions en train de regarder ensemble cette belle jeune femme étendue, nue, sur son lit, la jambe droite légèrement soulevée, les cuisses légèrement écartées, et les seins troublés comme on ne saurait dire (précisons, avant de l'oublier, tant les événements vont se précipiter, qu'Hortense avait adopté cette position d'attente non par coquetterie et provocation, mais en espérant que la récompense à la vue que représentait le léger écartement de ses cuisses, par suite du soulèvement de sa jambe droite, détournerait l'attention de ses genoux dont elle avait une honte exagérée). Mais de toute façon, il est à craindre que le lecteur ne puisse éviter d'être voyeur, et cela d'autant plus que le livre est acheté et lu par un plus grand nombre ; d'où il ressort, si on porte sur le voyeurisme une condamnation morale, qu'il n'y a pas trente-six manières de s'en tirer : ou bien on prive le lecteur de la contemplation d'Hortense nue, ce qui serait dommage, ou bien on s'arrange pour que le livre n'ait que très peu de lecteurs, afin de minimiser les dégâts. Ce paradoxe éthique a été magistralement étudié par le professeur Orsells. Mais revenons à notre héroïne.

Nous suivrons la procédure traditionnelle en matière de description d'héroïne, c'est-à-dire du haut vers le bas : ses cheveux, dirons-nous, resplendissaient plus que fils d'or ; nous dirons plus précisément qu'elle était presque blonde, d'un châtain clair assez doux en une masse de cheveux mi-longs ; au-dessous de chacun des bras, une touffe d'un matériau voisin (elle ne se rasait pas, dieu merci !) était encore un tout petit peu plus claire et parfumée (de manière assez différente sous chacun des bras), d'un parfum un peu poivré, fort, aphrodisiaque paraît-il (du moins c'est ce qu'Hortense avait souvent entendu dire et le jeune homme le lui confirma encore un peu plus tard dans l'après-midi), que, malheureusement, nous ne pouvons désigner plus précisément manquant pour les parfums, ce qui est dommage, d'une échelle linéaire semblable à celle des couleurs, ou encore celle des tremblements de terre (ah, un parfum 7,9 sur l'échelle de Richter), ou des ouragans (8 Beaufort, par exemple) ; son front surmontait la fleur de lis ; ses clairs sourcils étaient ployés comme de petits arconciaux, et une petite voie lactée les séparait de parmi la ligne du nez, et si équilibrément qu'il n'y en avait ni plus, ni moins que nécessaire ; ses yeux qui dépassaient toutes émeraudes, reluisaient en dessous de son front comme deux étoiles, son visage suivait la beauté du matinet, car elle était en sa face de vermeil et de blanc mêlés ensemble en telle manière que l'une couleur et l'autre ne surnagent mauvaisement ; la bouche petite et les lèvres épaissettes. Son cou était long, ses mains menues.

La pointe de ses seins était extrêmement sensible et leur forme (ils étaient de taille moyenne mais tirant vers le petit) très légèrement arrondie vers le bas, mais fermement, de densité et de plénitude ; ses hanches occupaient confortablement les mains ; son nombril était petit et rond, son ventre un peu bombé et duveteux, d'un duvet presque incolore, orienté de part et d'autre d'une ligne médiane, symétrique de celle qui descendait de son dos creux jusqu'à l'ouverture de ses fesses, desquelles nous n'avons pas dit le quart du bien qu'il y aurait à dire, mais le temps presse, et ce duvet était semblable à celui de l'osier qui naît au printemps dans la Sierra de Cuenca dont Gongora a chanté les belles montagnardes ; au bas de son ventre, elle était presque au blond cette fois, plus claire encore que sous les bras, et plantée d'une manière franche, décidée, fournie, ni désert, ni steppe, ni brousse, mais dessus de grotte Renaissance. Son point sensible, aisément trouvé par la langue ou le doigt, était très net. Ses genoux étaient naïfs ;

ses pieds chaussaient du 38 1/2-39. Elle ne se rougissait pas les ongles.

Le jeune homme, debout toujours devant elle pendant le temps de la description, la regarda longuement de face, puis de dos, puis encore de face. Son intérêt était toujours indiscutable, visible et intense. Hortense tendit les bras. Il se pencha vers elle et le chapitre s'acheva.

Deuxième entre-deux-chapitres

Où l'on achève, après l'interruption d'un flash-back, le récit de la séduction d'Hortense transmis à Yvette par téléphone et de là à Sinouls, retrouvant ainsi l'ordre chronologique.

— Et elle est amoureuse ? dit Sinouls.
— C'est l'homme de sa vie.
— Et elle te le téléphone en sa présence ?
— Il est parti.
— Déjà ?
— Idiot, c'est à cause de son travail.
— Et qu'est-ce qu'il a de si extraordinaire ?
— Il fait merveilleusement l'amour, il lui a dit que ses fesses étaient parfaitement parfaites, parce qu'il n'y avait pas chez elle de solution de continuité entre la fesse et la cuisse.

Le père Sinouls considéra mentalement le problème.

— C'est bien vrai ça ? Je ne savais pas qu'Hortense...
— Eh oui, Hortense a cette qualité, entre autres.
— Et qu'est-ce qu'il fait, ce phénix ?
— Eh bien, il a deviné son prénom, pratiquement du premier coup.
— Tiens tiens, dit Sinouls.
— Oui, et son métier qui l'oblige à travailler la nuit, c'est : antiquaire nocturne ambulant.

Le père Sinouls leva un sourcil.
— Répète.
Yvette répéta.
Le père Sinouls continua à lever un sourcil. Il regarda Yvette qui levait le sourcil.
Levons un sourcil.

Suite de la fin du chapitre 11, où se poursuivait la réponse à la question spéciale du premier entre-deux-chapitres

Pendant qu'Yvette, Sinouls, l'Auteur et le Lecteur lèvent un sourcil (lequel ?), retournons en arrière, à ce moment de l'après-midi où le chapitre de la séduction d'Hortense s'acheva lentement.

Il faisait chaud. Tioutcha ronronnait tioutchement. Elle ronronnait selon son devoir, mais elle ronronnait aussi pour que les ondes ronronnantes, pénétrant par la moustache d'Alexandre Vladimirovitch et troublant son cœur, se transmettent jusqu'à ses griffes au bout de ses pattes qui s'enfonçaient dans le bois du rebord de la fenêtre du bureau du professeur Orsells où il se tenait.

Le professeur Orsells pensait en ronflant.

Mais la chaleur avait été telle qu'avant de se mettre à penser sous ronronnement, il avait ouvert la fenêtre. Alexandre Vladimirovitch sauta dans la pièce. Le ronronnement de Tioutcha redoubla de séduction et de douceur.

Alexandre Vladimirovitch sauta sur le bureau. Son museau vint effleurer le tendre museau de Tioutcha. Leurs moustaches s'entrebescèrent.

Chapitre 15

L'inspecteur Blognard

— Le chiendent, Louise, dit l'inspecteur Blognard à sa femme, c'est pas quand il y a pas de suspect, c'est quand il y a pas de mobile !

— Tu as raison, Anselme, répondit-elle. Mais pourquoi ?

C'était dimanche. Il faisait chaud. Il n'arrêtait pas de faire chaud depuis le début de l'été. L'inspecteur était en bras de chemise dans son salon, et sa femme Louise, revenue de la messe, passait l'aspirateur ; c'était un nouvel aspirateur qu'elle avait acheté à tempérament sur les recommandations d'un représentant très convaincant, M. Soquoné Vacuhomme, qui habitait justement dans l'immeuble que son mari surveillait. Ça ne devait pas être un hasard, pensait-elle. Elle avait posé les puits d'amour achetés chez Mme Groichant sur la table de la cuisine. Ils habitaient boulevard Marivaux, pas très loin, et Mme Blognard allait à la messe à Sainte-Gudule. La table de cuisine était recouverte d'une toile cirée ancienne à dessin, imitant le deuxième Mondrian à gauche, sur le mur du fond, en entrant à droite dans le musée de La Haye. Mme Blognard passait l'aspirateur. L'inspecteur qui n'était pas à son bureau puisque c'était dimanche, en profitait pour penser à haute voix devant elle, à faire le point de la situation de ses enquêtes ; sa femme l'entendait par-dessus le bruit de l'aspirateur, et lui répondait de temps en temps comme on répondait à Socrate, parce que ça l'aidait à réfléchir.

— Pourquoi ? dit Blognard, parce que le mobile est la moitié du suspect. Et le ou les suspects, c'est la moitié de la solution. Et la solution, c'est la moitié de l'arrestation. Et l'arrestation, c'est la moitié de la condamnation. Ce qui fait que le mobile est et n'est que le seizième de la condamnation, mais c'est pourtant un seizième indispensable et plus important que tous les autres seizièmes. Et pourquoi cela ?

— Pourquoi cela, en effet, véritablement, je me le demande ? dit Louise Blognard en arrêtant un instant l'aspirateur.

— Tu m'accorderas, dit son mari, qu'une enquête, c'est comme une maison.

— Tu dis vrai, Anselme, maintenant que tu me le dis, je vois distinctement qu'une enquête policière peut être comparée, en une image hardie mais fondée, à une maison.

— Fondée, voilà le mot ! pour bâtir une maison, il faut des fondations, et la fondation du bâtiment de l'enquête, c'est le mobile ! Certains pensent que c'est le suspect, mais c'est là, à mon sens, vouloir commencer en plein air, au premier étage, il n'y a rien de plus sûr pour que tout se casse la gueule. Et c'est pourquoi une affaire comme celle de la Terreur des Quincailliers est si difficile. Prends un bon gros meurtre, au contraire...

Louise prit.

— Qu'est-ce qu'on fait ? On regarde qui connaît la victime, parce que dans notre pays, on ne tue que les gens qu'on connaît, c'est pas comme à Chicago ou à Neviork. On fait le tour et vlan, on a un motif.

— On en a même en général plusieurs, si je ne m'abuse, dit Mme Blognard se départissant un instant très audacieusement de son rôle d'écho.

— Sans doute, sans doute, dit son mari avec indulgence. Mais ça change rien. On a plusieurs mobiles si tu veux, mais on a déjà en même temps les suspects voulus pour tous ces mobiles, ce qui veut dire qu'on a construit d'un coup les fondations et le rez-de-chaussée.

— Le premier étage, Anselme, tu as dit que les suspects, c'est le premier étage.

L'inspecteur Blognard fronça le sourcil, car il ne voulait pas perdre le fil de son raisonnement.

— Et si je comprends bien, Anselme, dit Mme Blognard en traquant avec décision un mouton de poussière sous le fauteuil de la télé, dans l'affaire de la Terreur des Quincailliers, tu n'as pas de mobile ?

La question était purement rhétorique, ou mieux, de seconde rhétorique (rythme et respiration), car Mme Blognard savait pertinemment que son mari n'avait pas encore beaucoup avancé. Il en rêvait même la nuit, ce qui n'était pas bon signe.

— Pas la moindre queue d'un ! Voilà un lascar que personne n'a vu, qui fait tout ce boucan pour voler chaque fois une statuette poldève sans aucune valeur, qui disparaît dans le décor, qui laisse sur les murs des silhouettes pissantes à la peinture noire, excuse-moi, Louise, pour l'emploi de ce mot, c'est pas mal ça, que le petit Mornacier ait découvert cet indice. Il ira loin, et pourquoi, pourquoi ? Qu'est-ce que c'est qu'il veut ? Qu'est-ce qu'il va faire maintenant ? C'est enrageant !

— T'en fais pas, Anselme, tu trouveras la solution, tu trouves toujours !

Blognard regarda sa femme avec affection ; il décortiqua une réglisse, jeta l'emballage dans l'aspirateur qui l'avala avec un froissement mou.

— Pourquoi as-tu tellement confiance en moi ? demanda-t-il, ému.

Louise Blognard aurait pu répondre à son mari, sans mentir, et il lui arrivait de le faire : « parce que je t'aime ! grand fou ! », ou « parce que je sais que tu es le meilleur », mais en réalité la raison de sa confiance était à la fois plus profonde et plus secrète, et remontait à une époque où elle ne le connaissait pas. Bien sûr, elle ne lui en avait jamais rien laissé paraître, elle avait peur du ridicule, peut-être, ou bien elle ne voulait pas l'embarrasser (nous ne savons, mais, mieux que Blognard, nous sommes en mesure, de par notre situation dans le roman, d'éclaircir certains mobiles) : fille de policier et de haut policier même, puisque son père, le contrôleur général Léonart avait été, jusqu'à sa récente retraite, directeur de l'Ecole supérieure de police de Saint-Frère au Montdargent, Louise, dès ses seize ans, quand elle était devenue une belle et stricte jeune fille, en tresses, socquettes et culotte Petit-Bateau (un des grands charmes de l'érotisme ancien), avait su qu'elle épouserait dans la profession de son père, qu'elle adorait. En prenant cette décision, qui était plus une conviction intime d'ailleurs qu'il en serait ainsi qu'un acte de sa volonté, elle se posa la question du *qui*. Elle avait, il est vrai, l'embarras du choix, puisque tout ce que la police du pays compterait un jour de meilleur passait devant ses yeux. Elle leur servait le thé certains dimanches, quand son père les invitait (et c'était elle qui était maîtresse de maison car le contrôleur général était veuf) ; ils la regardaient de tous leurs yeux, timidement ou effrontément, sincèrement ou ambitieusement, elle pouvait prendre son temps avant de décider.

Elle décida de prendre le meilleur, le plus parfait, l'idéal. A ce moment, elle en vint à se demander si, réellement, une telle chose était possible ; autrement dit, pouvait-elle être sûre qu'il existait un tel être, et que cet être serait celui qui serait son mari ? Un raisonnement simple lui prouva qu'elle n'avait aucun souci à se faire de ce côté-là, car l'idée même de cet idéal de perfection qu'elle avait en elle ne pouvait lui venir que si cette idée correspondait à un être réellement et potentiellement existant ; sinon, comment aurait-elle même pu le penser, « un cordonnier, se disait-elle en versant rêveusement du thé brûlant sur les doigts stoïques d'un jeune élève inspecteur rougissant et muet de déférence, un cordonnier ne peut envisager par un acte de son imagination un soulier dont il n'a pas déjà en lui l'image, qu'elle soit déjà entière ou assemblage de morceaux rapportés. Et il ne peut le faire que grâce à l'irruption devant ses yeux, venue de sa mémoire, de souliers qu'il a déjà vus. Ainsi, continuait-elle à penser, quand celui que je cherche apparaîtra, je le reconnaîtrai », et elle souriait au jeune homme rougissant qui n'était pas celui-là. En y réfléchissant souvent, elle était arrivée, quelque temps avant son dix-septième anniversaire, pour lequel son père devait inviter à goûter les meilleurs de ses élèves, à un état à peu près satisfaisant de la preuve de l'existence de son futur mari : «Je crois qu'il est quelqu'un de tel que je ne peux en penser un plus grand, ou plus parfait ou meilleur (pour moi, j'entends).»

«Je dis ceci, et même si je doute de la réalité de ce que je dis, je comprends ce que je dis, et cet être existe dans ma pensée. Mais si cet être existe dans ma pensée et dans la réalité également, dans la réalité il est plus grand, plus parfait et meilleur que s'il n'existait que dans ma pensée seulement. Ainsi, puisque celui à qui je pense doit être tel qu'aucun ne puisse le surpasser, il ne peut exister dans ma pensée seulement. Et par conséquent, il doit exister à la fois dans ma pensée et dans le réel. Donc il existe réellement.»

Le jour de son anniversaire, elle fut en présence des meilleurs de tous les espoirs de la promotion, et particulièrement du premier, un jeune et brillant sujet nommé Joubert. Ce Joubert, qui était à la fois étincelant et ambitieux, avait jeté son dévolu sur Louise, à laquelle il faisait une cour aussi assidue que le lui permettait la sévérité de ses études et du père de la jeune fille. Ce jour-là, il était accompagné de son meilleur ami, Anselme Blognard, qui n'était que soixante-treizième au classement. Lui aussi était amoureux de Louise (qui ne l'était, parmi ces jeunes gens ?), mais il savait qu'il n'avait aucune chance devant son ami Joubert, et il s'était abstenu jusqu'alors de venir aux thés que servait la jeune fille. Louise le regarda et sut que c'était lui. Six mois plus tard, ils étaient mariés.

Elle ne l'avait jamais regretté une minute. Or, l'affaire dite de la Terreur des Quincailliers l'inquiétait ; pas seulement parce qu'Anselme en perdait le sommeil et était même, parfois, irritable, mais parce que cet échec menaçant était comme une tache sur la housse protectrice de son amour pour lui. Expliquons cette comparaison.

Les Blognard n'étaient pas riches ; l'appartement du boulevard Marivaux était à eux, payé entièrement, mais il était de taille assez modeste et meublé modestement, à l'exception d'un ensemble de quatre très beaux fauteuils, cadeau de mariage d'une vieille tante de Louise. Louise était une ménagère extrêmement soigneuse, qui avait la passion de la propreté. Au cours des repas, où elle était le plus souvent debout, elle passait à intervalles réguliers sous et autour de l'assiette des convives un ramasse-miettes (et elle n'agissait pas autrement quand ils étaient seuls, Anselme et elle), afin d'éviter de salir la splendeur de son parquet aux tomettes rouges et cirées. Pour protéger les fauteuils, elle avait brodé elle-même quatre housses dont elle les recouvrait quand personne n'était invité au salon. Mais, au bout d'un moment, les housses lui étaient apparues si belles qu'elle avait eu peur de les voir s'abîmer, et elle avait donc ajouté, un peu moins beaux, des protège-housses. Une tache sur les protège-housses la rendait malheureuse, mais certainement beaucoup moins que l'aurait fait une tache sur les housses elles-mêmes, sans parler sur la splendeur des fauteuils. Et il en était ainsi de son amour : une tache sur la perfection d'Anselme serait un échec dans l'Affaire, mais cette tache ne serait qu'une tache sur le protège-housse couvrant les housses défendant le fauteuil de son indépassable amour. Voilà pourquoi elle était inquiète, mais pas trop cependant.

Elle avait suggéré la rencontre de ce dimanche, celle

pour laquelle les petits puits d'amour avaient été achetés chez Mme Groichant, et qui devait comporter aussi l'absorption d'une bonne daube ; il n'y a rien de tel quand il fait bien chaud pour vous aider à réfléchir, par contraste. L'inspecteur Arapède, célibataire, devait venir déjeuner, et Mme Blognard avait insisté pour que le jeune Mornacier, le Narrateur, partage le repas et la discussion stratégique qui s'ensuivrait. Elle n'était pas médiocrement curieuse de voir celui qui avait réussi à découvrir un indice qui avait échappé à son Anselme, sans parler des autres, que seul Anselme avait trouvés.

L'heure avançait (les invités étaient prévus pour midi moins le quart, car Mme Blognard avait gardé des habitudes provinciales et les repas avaient lieu à midi et à sept heures précises, sauf, bien sûr, quand le travail retenait Anselme bien en deçà de ces limites). Louise envoya son mari se raser et se laver les dents, après toutes ces réglisses qui les lui noircissaient, et passa dans la cuisine pour mettre la dernière main à sa daube. C'était un plat auquel elle donnait beaucoup de soins, car il avait été l'occasion du premier et unique drame de sa vie conjugale.

Les Blognard étaient à peine mariés et installés dans leur premier appartement dans la ville de province où il avait débuté, et la jeune femme (elle n'avait pas dix-huit ans) cuisinait pour la première fois pour son époux ; l'appartement, minuscule, était situé au cinquième étage d'un immeuble modeste, dans une rue pauvre mais peu passante ; il faisait chaud, c'était septembre, et Louise avait préparé une daube : toute la nuit, elle avait fait mijoter la viande à feu très doux, avec le vin, le laurier ; le matin, elle avait dégraissé soigneusement, après refroidissement ; recuit, doucement, redégraissé ;

peu de temps avant l'heure où Anselme était attendu, elle avait fait cuire les carottes ; et enfin elle se penchait de temps à autre par la fenêtre, pour guetter la silhouette aimée et massive de son Anselme, afin de jeter, au dernier moment, le gruyère râpé dans l'humide et odorant bouillon. Et voilà qu'il arrivait. Elle l'entendit ouvrir la porte avec sa clé. Il entra et soudain, sans dire un mot, sans l'embrasser, fronçant les sourcils, qu'il avait noirs, d'une manière terrifiante, il saisit la soupière odorante et fromagère sur la table, et la lança par la fenêtre ouverte ! Il ne supportait pas le fromage !

Chapitre 16

La stratégie de l'araignée

— Voici comment nous allons procéder, dit l'inspecteur Blognard.

L'inspecteur Arapède et moi-même, gorgés de daube et de puits d'amour, l'écoutions attentivement.

— Le point névralgique de toute l'affaire, le nœud gordien, est, j'en suis maintenant persuadé comme vous (ceci s'adressait à moi), situé au 53 de la rue des Citoyens. Je le sens dans mes os, ajouta-t-il en traduisant sans s'en rendre compte une expression favorite de son collègue et ami l'inspecteur Lovatt, de Scotland Yard (qui l'avait fait adhérer à l'association qu'il dirigeait : *Friends of the English Badger* — les Amis du Blaireau anglais — l'inspecteur Lovatt était passionné de ces animaux : voir *Blognard à Londres*, à paraître dans la même collection, sous réserve des résultats commerciaux du présent roman, si vous voyez où nous voulons en venir par cette parenthèse). Dans cette maison, quelque part, dans l'escalier A, B, C, D, E ou F, se cache notre lascar. Comme une mouche rusée mais inconsciente, il volète çà et là. Nous, nous sommes la patiente araignée, nous devons tisser notre toile et y attirer la mouche, c'est-à-dire la Terreur des Quincailliers. Bon ! Où placer notre toile ? Dans le square faisant face à l'immeuble, tournant le dos à Sainte-Gudule, il y a trois bancs. Sur le banc du milieu, je passerai mes journées, déguisé en clochard. Ceci me permettra de poser des questions officieuses chez les commerçants, surtout chez Mme Eusèbe, et au café, sans attirer l'attention. L'inspecteur Arapède, qui, de toute façon, ne saurait passer où qu'il aille et quoi qu'il fasse pour autre chose que ce qu'il est : un inspecteur de police, posera les questions officielles. Vous, jeune homme, faites parler les amis que vous avez dans le quartier. Il n'y a aucune raison d'être discret sur ce point, il faut au contraire que le criminel sache que nous sommes sur sa piste, il faut qu'il ait peur, cela l'amènera à faire une faute. Et cette faute qu'il commettra, qu'il ne peut que commettre, ce sera l'équivalent du vol imprudent de la mouche, la toile de l'araignée l'attendra, et moi, Blognard, je serai au centre.

— O.K., patron, dit Arapède sans enthousiasme.

Il n'y avait rien qu'il détestait plus que les journées passées à recueillir dans son carnet les réponses idiotes des témoins aux questions imbéciles qu'il se sentait obligé de leur poser ; il devait ensuite taper le tout en trois exemplaires, et expliquer ce qu'il y avait dedans à Blognard qui en plus n'avait pas le temps de les lire et préférait un compte rendu oral.

— Par qui je commence ?

— Par l'épicerie.

En sortant de chez les Blognard (l'inspecteur Arapède était resté discuter quelques points de routine), je suis descendu par la rue du Saut-de-la-Chèvre, passant devant le marchand de vins où j'avais acheté la bouteille de blanquette de Limoux que j'avais offerte à Mme Blognard (une femme charmante, et très distinguée, un peu ménagère), et je suis entré dans le jardin de la place des Ardennes pour m'asseoir et rêver un moment. J'ai pensé à l'Affaire, à sa résolution propre et probable, et ensuite j'ai pensé à Hortense que je n'avais pas revue depuis le matin du début du roman. Elle ne passait plus à huit heures devant l'épicerie Eusèbe ; peut-être était-elle malade. Je me promis d'interroger Yvette à son sujet, elle était son amie, il me semblait, mais je m'intéressais déjà moins à elle, le moment dangereux était passé.

Près de moi, deux enfants, frère et sœur apparemment, jouaient au frizbee sur la pelouse à peu près vide. Ils étaient sous la surveillance d'une personne jeune et charmante avec laquelle je ne tardai pas à lier conversation : c'était une Poldévienne au pair, nommée Margrska (prononcer « Magroursqua »), qui était venue voir la Ville pour l'été (la raison de cette scène narrative est de rassurer le Lecteur sur le sort du Narrateur, que les nécessités de la Vérité nous ont obligé de priver de toute chance avec Hortense, malgré son désir : nous pouvons révéler que la jeune Poldévienne Margrska n'a été avec lui ni prude ni cruelle). Je l'ai quittée au bout d'une heure pour aller rédiger le compte rendu de mon entrevue avec Blognard et nous avons pris rendez-vous pour son jour de sortie. Le square des Grands-Edredons était vide.

En relisant mes notes dans le cahier bleu où je les avais consignées à mesure à l'époque (j'écris ceci deux ans après), je vois, beaucoup plus nettement qu'au moment où, à chaud, et immédiatement après le dénouement j'ai écrit le livre (un best-seller) qui m'a permis de me consacrer à ma vocation de romancier (il s'agit de *Blognard et la Terreur des Quincailliers,* le premier de la série des Blognard, romans commerciaux abusant du sensationnel, à ne pas confondre avec nos propres œuvres. *Note de l'Auteur*), que le tournant de l'Affaire a été ce déjeuner, et la décision lucide et efficace de Blognard, devant Arapède, sa femme et moi-même, en train d'achever les puits d'amour Groichant, de tendre sa toile sur le banc du square des Grands-Edredons. Sans doute, la tempête d'équinoxe a donné le coup de pouce du hasard, fourni la preuve qui, sans cela peut-être, aurait manqué, mais je suis persuadé que sans la présence, sur le banc, presque constante jour et nuit, d'un Blognard déguisé mais rayonnant de volonté, d'intelligence et de ténacité, le criminel n'aurait probablement pas commis l'imprudence fatale que les vents, instruments du destin, transformèrent pour lui en catastrophe.

Dès le lundi matin, Blognard apparut, vêtu d'une large robe de chambre des Pyrénées, vieille, mitée et salie, d'un béret qu'il avait arrosé d'une louche d'huile de la bassine à frites de Mme Blognard, le visage maculé de réglisse, des baskets aux pieds, que plus tard il remplaça par des bottes d'égoutier. Je suis à peu près certain que le criminel le sentit, sentit immédiatement sa présence, son aura, la détermination du justicier, et qu'il commença à perdre pied.

Dans la masse des témoignages et des détails recueillis par Arapède, qui venait lui faire son rapport, de manière presque ostensible, dans le square même, tous les matins à dix heures (et je m'asseyais alors sur le banc voisin, avec mon cahier bleu pour prendre tout ce qui me semblerait utile à mon futur livre), la première piste qui émergea nous fut donnée par la concierge, Mme Croche : personne selon elle (et ceci dut être extrait du torrent de médisances venimeuses et dénonciations sur tous les habitants de l'immeuble, dont elle arrosa le pauvre Arapède) n'était venu s'installer récemment dans la maison, pas depuis deux ans en tout cas ; il y avait deux ou trois appartements vides, dont les propriétaires étaient absents, en province ou à l'étranger, mais ils n'étaient pas sous-loués clandestinement ; elle l'affirma à Arapède et nous la crûmes. D'où Blognard conclut, en un raccourci foudroyant, que le criminel était quelqu'un de l'immeuble, quelqu'un d'apparence respectable, qui cachait sans doute son côté Mr. Hyde sous une apparence jekyllienne qui trompait même ses proches. Ce fut le premier pas.

Le second fut franchi grâce à la jeune Veronica Boillault, en échange de quelques réglisses dont Blognard eut l'intelligence de se départir en sa faveur, obtenant ainsi sa confiance et la possibilité de dénicher la perle charriée par le ruisseau de son babil. A plusieurs reprises, espérant sans doute quelque cadeau supplémentaire d'un monsieur aussi généreux, elle mentionna comme ça, de manière désinvolte, que la peinture noire était quelque chose de très vivement intéressant, que les petites filles de son âge, contrairement aux affirmations de sa mère, étaient parfaitement capables d'utiliser la peinture noire sans se salir le tablier, les doigts et les cheveux, qu'il était faux (et tout cela fut dit en plusieurs fois, à plusieurs jours d'intervalles, parmi bien d'autres confidences, et sans la phénoménale mémoire déductive de Blognard, il est probable que l'enchaînement en aurait été perdu), toujours contrairement aux affirmations de sa mère, qu'on ne vendait plus de peinture noire dans les magasins puisqu'un soir elle avait vu par la fenêtre (qui était au rez-de-chaussée de l'escalier C, donnant sur le square ; elle y grimpait à l'aide d'une chaise, pour ouvrir à Alexandre Vladimirovitch quand il lui rendait visite) un monsieur qui jouait avec un pot de peinture. Comment Blognard parvint à se faire montrer l'endroit où se tenait le monsieur en question, sans promettre l'achat d'un pot de peinture noire, voilà ce que je n'ai pas réussi à élucider, malgré tous mes efforts. Mais l'essentiel n'est pas là ; le témoignage de Veronica réduisit d'un coup considérablement le champ des suspects, car le monsieur en question (il ne fut pas possible d'obtenir d'elle une description mais on ne peut pas tout avoir) *sortait de l'escalier D.*

Les implications de cette révélation étaient énormes et un frisson d'enthousiasme me parcourut quand j'entendis la nouvelle. Blognard lui-même, d'ordinaire impassible, semblait surexcité, et s'il avait été un clochard authentique, j'aurais juré qu'il était saoul. Seul Arapède resta de marbre et haussa même les épaules, mais il n'y avait là rien que de très ordinaire chez lui. D'un seul coup, le nombre des suspects tombait à neuf, neuf étant le nombre des appartements occupés de l'escalier D (comme d'ailleurs de l'escalier C (cette remarque est stupide ; on ne voit pas en quoi le nombre des appartements de l'escalier C du 53 de la rue des Citoyens peut nous intéresser. *Note de l'Auteur*)) ; il y avait en effet quatre étages, un appartement à droite et un à gauche de l'escalier à chaque étage, ce qui fait dix appartements, en comptant le rez-de-chaussée ; mais un des appartements était l'un des deux qui étaient inoccupés, d'après Mme Croche ; il en restait donc neuf.

Arapède sortit alors, de son grand registre noir qu'il tenait sous le bras et où se trouvaient tous les documents utiles pour l'enquête, le plan de l'escalier D, et nous regardâmes ensemble la liste des occupants. Elle s'établissait comme suit :

Côté gauche

Rez-de-chaussée : Monsieur Anderthal, antiquaire.

Premier étage : Soquoné Vacuhomme, représentant (aspirateurs et poêles à frire).

Deuxième étage : famille Orsells.

Troisième étage : Monsieur et Madame Yvonne.

Quatrième étage : Mademoiselle Muche.

Côté droit

Rez-de-chaussée : Monsieur Joseph, bedeau de Sainte-Gudule.

Premier étage : Madame Anylline, teinturière.

Deuxième étage : famille Groichant.

Troisième étage : vacant.

Quatrième étage : Sir Whiffle, écrivain porcin, en retraite.

Blognard resta longuement songeur devant cette liste. Puis il dit :

— Nous pouvons éliminer certainement Mlle Muche. Ce crime est un crime d'homme.

— Mais, commença Arapède.

— Il n'y a pas de mais, dit sèchement Blognard. D'ailleurs, Mlle Muche, si ma mémoire est bonne (elle l'était), et si ton rapport à ce sujet est exact (il l'était), a soixante-treize ans depuis le 14 novembre de l'année dernière, et je la vois mal sortant la nuit avec un pot de peinture noire peindre des silhouettes d'hommes qui pissent sur les murs, encore moins s'introduisant avec effraction dans une quincaillerie. Le prince Gormanskoï est absent et l'appartement est inoccupé, ça fait deux. Il en reste sept.

Je ne voyais pas M. Groichant, le boulanger, ou le bedeau dans le rôle du criminel, et Blognard convint que c'était en effet peu vraisemblable, mais l'invraisemblable, en matière criminelle, n'était pas une catégorie sûre et il se refusa à les rayer de la liste. Il convint néanmoins que, sans doute, on pourrait très rapidement les éliminer.

— Je veux bien même, dit-il, vous donner un ordre de vraisemblance, tel que je vois les choses.

Le voici, comme je l'ai noté à l'instant même. On verra à quel point Blognard s'approchait, déjà, de la vérité.

Ordre de vraisemblance dans la liste des suspects,
selon l'inspecteur Blognard

1ers ex aequo : Soquoné Vacuhomme et M. Yvonne
3e : Orsells
4e : Anderthal
5e : Sir Whiffle
6e : Groichant
7e : Joseph.

— Eh bien, mes enfants, dit l'inspecteur en se frottant les mains qu'il avait pleines de réglisse, ça prend tournure, ça prend tournure !

Chapitre 17

Orsells

Hortense nageait dans le bonheur. Elle était gaie comme un pinson, bien que totalement épuisée par les exercices amoureux répétés auxquels elle se livrait en compagnie de son nouvel amant. L'imagination et l'inventivité de celui-ci étaient vastes, elle en était parfois éberluée. Son enthousiasme ne faiblissait pas. Tout cela était certes délicieux, mais un peu fatigant et, après avoir été deux jours en retard d'une demi-heure chez Mme Groichant, elle dut se résoudre à prétexter l'urgence de son travail pour supprimer la séance de vente du matin, ce qui lui fut accordé bien volontiers sans diminution de salaire, au moins pour quelque temps. Mais le travail, qui en était le prétexte, souffrait aussi, car, en dehors de la fatigue bien naturelle qui résultait de ces débordements amoureux, elle n'arrivait pas à se concentrer sur les problèmes difficiles de son mémoire, et elle passait le plus clair de son temps quand Il n'était pas avec elle, sur elle, autour d'elle ou derrière elle, à rêver de lui, ou à raconter en détail à Yvette ce qu'il avait fait ou dit.

Yvette, qui le transmettait fidèlement aussitôt à

Sinouls (et tous les deux levaient de plus en plus les sourcils), apprit ainsi que le jeune homme de l'autobus T s'appelait Morgan (et c'est ainsi que nous le désignerons désormais ; ce n'est pas son vrai nom, mais son vrai nom, nous ne pouvons pas le dire encore ; celui-là était bon pour Hortense, il sera bon pour nous) il s'appelait, dit à Yvette Hortense, Morgan ; sa mère était anglaise et son père inconnu. Tous les soirs vers neuf heures, laissant Hortense pantelante sur le lit, après avoir dévoré quelques œufs, sardines ou spaghettis qu'elle lui préparait d'une main tremblante encore d'activités indicibles, il prenait sa mallette noire et s'en allait prospecter pour son boulot, l'antiquariat nocturne et ambulant. Malgré l'insistance d'Yvette, Hortense n'était pas en mesure d'en dire plus, et à vrai dire, ça ne l'intéressait apparemment pas beaucoup.

Cependant le problème de son mémoire devenait urgent, car elle avait promis à son maître, le professeur Orsells, un plan détaillé pour la fin de l'été ; cette fin était proche, et le plan n'était pas terminé, qui plus est, étant donné ses activités actuelles, il ne risquait pas de l'être à temps. Après avoir tergiversé plusieurs jours, elle se décida à aller voir Orsells pour lui demander un délai. Pour se préparer à cette épreuve, et, selon son habitude, chaque fois qu'un problème la préoccupait, elle alla, la veille du matin où elle devait le rencontrer (elle devait se rendre chez lui, dans son appartement de la rue des Citoyens), s'acheter une robe et deux paires de souliers.

Elle avait une très grande penderie où elle entassait ainsi les robes et souliers achetés dans ces conditions, qu'elle ne portait jamais car leur vertu était purement celle de calmants ; les robes et les souliers qu'elle mettait étaient ceux que lui offrait son père, chaque fois que dans une crise de sadisme paternel il l'invitait à déjeuner et lui donnait de l'argent, du saumon ou un appartement. Elle ne choisissait pas les mêmes tissus, ni les mêmes couleurs, ni les mêmes prix, c'étaient deux séries entièrement différentes ; et elle ne les plaçait évidemment pas au même endroit. Ce jour-là, donc, elle acheta deux paires de souliers bleus, une robe rouge, et les fourra dans sa penderie, aussitôt rentrée. Elle avait vaguement gardé l'impression que la penderie était presque pleine, la dernière fois qu'elle avait dû faire de tels achats (c'était à l'occasion de sa dernière rupture sentimentale, elle s'était dit qu'il faudrait bientôt qu'elle en fasse faire une autre, mais elle s'était sans doute trompée car, en fait, il y avait encore beaucoup de place).

A cette époque, Philibert Orsells était sans aucun doute l'intellectuel le plus en vue de la Ville et, par conséquent, du pays (ceci ne veut pas dire qu'il n'y avait pas d'intellectuels ailleurs, mais ils ne pouvaient en aucun cas espérer être en vue s'ils n'habitaient la Ville). Ses trente-cinq livres déjà publiés avaient tous eu des comptes rendus dans les journaux, et des tirages atteignant parfois cinq mille exemplaires ; il donnait son avis sur les principaux événements et les questions du jour, sous le titre, le plus souvent de : *la Philosophie moderne et X ; la Philosophie moderne et le Pétrole, la Philosophie moderne et la Révolution dans la machine-outil,* etc. ; il appelait sans cesse nos compatriotes à ouvrir leurs yeux philosophiques et à tirer, enfin, les conséquences du fait qu'il y avait : de nouveaux médias ; la BD ; la science-fiction ; le chômage ; la révolution sexuelle, antisexuelle ou parasexuelle ; l'islam, le boud-dhisme, etc., etc. Il le faisait toujours avec décision et les journaux reproduisaient ses paroles en bonne place, en leur accordant environ un ou deux pour cent de l'importance qu'ils donnaient aux déclarations des coureurs cyclistes, des chanteurs ou des leaders du parti à la mode. Son succès était indiscutable. Il était encore renforcé auprès de la jeunesse intellectuelle et estudiantine par le sentiment, dont ses admirateurs se faisaient largement l'écho, qu'il était un marginal, un esprit hors catégorie, censuré par les pouvoirs de quelque bord que ce soit (et Dieu sait s'il y en a !), occulté, réprimé, étouffant sous la chape de silence des « gens en place », les mandarins, les conservateurs, et poum poum poum et poum. Il avait construit tout son badaboum personnel sur cette image à laquelle d'ailleurs il croyait sincèrement (c'est tellement plus efficace).

Sa vie privée était simple et modeste. Quand il n'était pas en tournée de conférences aux USA, au Japon, ou en Allemagne, il vivait, avec son épouse et ses deux filles, des jumelles de neuf ans, Adèle et Idèle, dans leur moyen appartement du 53 de la rue des Citoyens. Sa femme était une de ses anciennes étudiantes ; elle avait dix-huit ans de moins que lui ; elle était calme, douce, blonde, pâle ; elle ne disait plus un mot depuis une dizaine d'années. Son nom de jeune fille était Hénade Jamblique.

Orsells reçut Hortense avec bienveillance et la fit entrer dans son bureau. Il s'excusa un instant, il devait achever la correction des épreuves de son trente-sixième ouvrage, qui allait bientôt paraître, et lui demanda de lui permettre de terminer la page qu'il était en train de relire. Hortense en profita pour examiner attentivement la pièce (ce qui aurait pu être pour nous l'occasion d'une description perspicace et panoramique, mettant en évidence les traits essentiels du caractère des deux personnages, le regardant et le regardé, par le truchement d'un choix d'objets judicieux, mais nous nous refuserons cette facilité, dont nos prédécesseurs du XIXe siècle ont usé et abusé, transformant les appartements bourgeois en autant de « paysages moralisés »). Sur le coin gauche du bureau d'Orsells, ouvert à la page où commence le chapitre « Beaux-Arts », il y avait un guide de Poldévie.

Pour cette entrevue, elle s'était vêtue avec sobriété, abandonnant la tenue fort légère que réclamait d'elle Morgan (en souvenir, disait-il, de leur première rencontre) et dont la caractéristique première était l'absence de culotte et une certaine transparence de la robe. Le poids, inhabituel, de ses vêtements (il faisait toujours chaud) lui causait un peu d'inconfort, ainsi, sans doute, que le remords de sa démarche et la déception qu'elle causerait certainement au grand homme, qui s'était montré si encourageant.

— Eh bien, dit Orsells, qu'est-ce qu'il y a ? Où en êtes-vous ?

Hortense était bien décidée à ne pas répondre sincèrement à cette question. Elle choisit une voie moyenne, décrivant les symptômes, réels, de sa fatigue, sans s'étendre sur leur cause qu'elle laissa dans l'obscurité, insinuant seulement qu'elle avait quelque chose à voir avec son travail dans la boulangerie Groichant. Elle termina par une demande de conseils, ce qui lui parut la meilleure manière de se sortir d'affaire. Orsells était un incorrigible donneur de conseils.

Elle ne fut pas déçue. Non qu'elle attendît réellement

un conseil dans une situation où elle n'estimait pas en avoir besoin, et qu'elle n'avait d'ailleurs décrite que très partiellement (comment expliquer à son directeur de thèse que votre retard vient essentiellement d'un excès fornicatoire) ; en second lieu, parce que les conseils prodigués par Orsells (que ce soit aux différentes composantes de la gauche, du centre, de la droite, aux haltérophiles ou aux numismates) étaient d'une telle généralité et abstraction dans leur sévérité qu'elle ne risquait rien, mais en le lançant ainsi sur ses rails favoris, elle pouvait espérer obtenir facilement le délai voulu.

— Ma chère enfant, commença Orsells avec une voix pleine de sucre théorique, en toute chose, et particulièrement dans votre cas, il faut revenir au commencement, c'est-à-dire aux fondements, qui sont à la fois métaphysiques et moraux, ressortissant à la fois à l'Ethique et à l'Ontologie ou, comme je préfère le dire, vous connaissez mes petits dadas, à l'*Ontéthique*.

— Traité, livre 1, chapitre 1, scolie 1, ligne 1, murmura Hortense machinalement.

— Tout repose sur le sens moral du mot *devrait*, comme vous le savez. La proposition « on devrait faire A » prescrit que, de manière nécessaire, on doit désirer que A soit accompli et le soit dans tous les mondes possibles où se pose le problème de l'être, qui est, d'ailleurs, vous le savez aussi, ayant suivi mon cours de 19..-.... (premier semestre) le *possêtre*. *Devrait* engage également dans l'universel en ce sens que, si je dis « on devrait faire A », j'affirme implicitement que quiconque (c'est-à-dire un autre ou moi-même, dans tous les mondes possibles) *devrait faire A* dans des circonstances identiques (c'est-à-dire les mêmes circonstances, indépendamment de la position dans l'espace-temps des individus et des mondes concernés). Il s'ensuit que « on devrait faire A » peut être paraphrasé en « je, par ceci, prescris fortement comme exprimant mon désir sincère, que n'importe qui fasse A, dans toute situation ayant les mêmes propriétés abstraites ».

« J'ai tiré de ces prémisses, que nul philosophe sensé ne devrait mettre en doute (et ici, son visage s'assombrit momentanément à la pensée de tel de ses confrères qui avait, incroyablement, mis en doute), ce que j'appelle la *Règle d'or de l'Ontéthique,* qui est particulièrement « relevante », comme disent nos amis de Cambridge, dans votre cas :

On doit traiter quelqu'un d'une certaine manière si et seulement si on est prêt à :

1. faire la même chose dans tous les mondes possibles,

2. accepter que la même chose soit faite si on est SOI-MÊME le patient dans l'opération envisagée.

— Dans tout monde possible ? demanda Hortense.

— Dans tout monde possible, bien entendu. C'est une conséquence triviale de la Règle sous la forme condensée où je vous l'ai donnée. Vous voyez certainement, chère enfant, comment ceci s'applique au cas présent de votre mémoire où je suis, moi, dans ce monde-ci, le « patient » de votre opération-délai, dit-il avec un sourire.

— Oui, dit Hortense, mais peut-être un autre exemple, plus impersonnel...

— Eh bien, supposons que je pose la question suivante : *dois-je pousser mon voisin de façon à être le premier à monter dans l'autobus ?* C'est un problème concret, crucial qui se pose à nous très souvent dans notre vie de tous les jours. L'autobus arrive, nous voyons d'un coup d'œil qu'il est bondé et que si nous n'agissons pas, nous serons non le dernier à monter dedans mais le premier à ne *pas* monter. La question du pousser se pose alors. En un éclair, il faut appliquer la *Règle d'or de l'Ontéthique*. C'est pourquoi il faut bien en posséder tous les détours. Que nous dit la Règle dans ce cas : que je dois pousser, si et seulement si, *en dernière instance,* je préfère pousser *et* être poussé, à ce qu'aucun de nous deux, moi et mon voisin qui me précède dans la queue qui attend pour monter dans l'autobus, ne soit poussé. Il en est ainsi car la propriété abstraite de la situation implique que *pousser et être poussé* sont essentiellement la même chose, ce qui, vous me l'accorderez, est un résultat extrêmement profond. Seules les identités des personnes changent. Mais la beauté de la chose apparaît plus encore — et Orsells, dans son enthousiasme, malaxa avec conviction le genou droit d'Hortense — si on considère que le théorème moral que je viens d'énoncer est celui auquel on parvient si la personne en question, celle qui est devant nous, a exactement le même désir que vous. Mais s'il se trouve que cette personne est un homme doux ou une vieille dame timorée qui n'ont aucune envie de pousser et pas d'objection majeure à être poussé, alors *il faut pousser*. Poussez, poussez, c'est la seule position moralement juste ! On pourrait d'ailleurs étendre le problème à trois personnes, ce qui m'a permis, dit Orsells, de résoudre de manière satisfaisante la question dite « des trois corps », pour le mouvement des planètes que les physiciens et astronomes savent si mal traiter.

Hortense dégagea son genou, remercia Orsells pour son éclairant conseil, et dit qu'effectivement elle devait réfléchir intensément à l'Ontéthique pour voir comment la Règle d'or s'appliquait dans le cas de son mémoire. Elle reviendrait dans deux mois avec une réponse claire à la question, elle en était sûre (deux mois était le délai qu'elle avait demandé pour le dépôt du plan de son mémoire ; on serait en novembre, et peut-être qu'alors les ardeurs incandescentes de Morgan ainsi que les siennes propres allant dans le même sens lui laisseraient un peu plus de temps pour se concentrer).

Et elle partit.

Chapitre 18

Grande tempête d'équinoxe

Il y eut une longue préparation. Comme par une décision céleste, plusieurs jours avant l'équinoxe d'automne, la chaleur s'alourdit, devint de plus en plus pesante. Les enfants se mirent à chougner, à griffer, à faire endêver leurs parents ; les parents s'engueulèrent pour un oui ou pour un non ; les marchands de limonade prospérèrent, quand ils ne furent pas en rupture de stock ; les chiens tiraient la langue ; les arbres, les maisons, le ciel étaient couverts d'une pellicule de sueur suintante ; les frigidaires tiraient la langue ; à la terrasse des cafés, les clients ressemblaient à des baleines échouées sur le sable de Hendaye. Le père Sinouls ne dessoûlait pas, sans même le faire exprès ; chaque bière exsudée lui donnait encore plus soif. L'inspecteur Blognard lui-même avait triplé sa consommation de doubles diabolos grenadine. La grande tempête d'équinoxe s'annonçait. La météo, cartes prises par satellite à l'appui, la prévisit six fois de suite en vain. De gros nuages apparaissaient sur Sainte-Gudule, noirs, lourds, comme des sacs gonflés de ciment ou de farine ; ils hochaient la tête, hésitaient et repartaient crever sur la Pologne ou Trieste.

Enfin, ce fut le moment. Dès trois heures de l'après-midi, ç'avait été le crépuscule ; le ciel était couleur d'étain, de vert-de-gris, de cendre d'orage, quoi. M. Anderthal l'antiquaire, rentré précipitamment au rez-de-chaussée (ou étage zéro) de l'escalier D gauche du 53 fermer ses fenêtres qu'il avait laissées ouvertes pour recueillir le moindre souffle d'air, pensa que ça ressemblait à un pot d'étain anglo-saxon qu'on venait de lui refiler pas cher et dont il espérait tirer un sérieux bénéfice. Les nuages étaient au plus bas et se mirent à se confondre en un plafond menaçant.

Il y eut d'abord quelques gouttes vers six heures, deux heures avant le coucher du soleil réel étant donné l'heure d'été, immortelle invention que le sénateur des Basses-Alpes (aujourd'hui de Haute-Provence) Honorat a donnée au monde au début des années 20. C'était une fausse alerte. Néanmoins les oiseaux disparurent et la rue se vida. Le Ciel en fait avait prévu le début des hostilités pour huit heures. M. et Mme Boillault discutaient dans la boucherie avec les derniers clients ; M. Boillault chassait les mouches qui s'étaient réfugiées là et qui étaient même trop effrayées pour s'attaquer aux rosbifs. La petite Veronica Boillault était toute seule dans son alcôve de l'arrière-boucherie ; elle voyait le ciel par la fenêtre et il ne lui plaisait pas du tout, elle avait très peur et elle se préparait à pleurer et crier pour appeler sa mère, ce qu'elle s'interdisait généralement par orgueil, quand Alexandre Vladimirovitch se glissa près d'elle et frotta son bout de museau miraculeusement frais contre son nez ; elle en fut toute rassurée :

— Alande Vladimiviche ! dit-elle amoureusement.

Alexandre Vladimirovitch lui donna quelques coups

de langue brefs et râpeux, puis lui grimpa sur la poitrine comme un édredon, et elle s'endormit bientôt ; lui-même somnola une petite heure, agréablement bercé par les mouvements réguliers de la petite poitrine se soulevant et s'abaissant sous lui.

Le vent se leva ; le sable vola dans le bac à sable ; pour montrer ce qu'il savait faire, le vent renversa quelques poubelles puis s'arrêta et attendit ; la rue se vida de nouveau. La radio continuait à annoncer un beau temps ensoleillé pour le lendemain. Le vent commença à y aller vraiment. Trois tuiles et un bout de corniche dégringolèrent, un peu plus haut, dans la rue Vieille-des-Archives. Et ce fut la tempête d'équinoxe, tempestueuse et déchaînée. Toutes les fenêtres mal fermées claquèrent, les dégâts commencèrent sérieusement (*cf.* Victor Hugo et Conrad pour plus de détails). Alexandre Vladimirovitch se réveilla et sortit tout doucement, sans réveiller la petite.

M. Boillault avait fermé son magasin et Mme Boillault était dans sa cuisine où elle réchauffait le repas du soir. C'était l'heure de la visite rituelle d'Alexandre Vladimirovitch, l'heure de sa complicité avec M. Boillault, car ils avaient une passion commune que même la tempête ne pouvait les empêcher d'assouvir. Et cela se passait nécessairement à cette heure, loin du regard désapprobateur de Mme Boillault et en l'absence de tout client : à la fin de la journée en effet, sur l'étal de la boucherie, au-dessous de la peinture ancienne dont il était si fier (*cf.* chap 2), M. Boillault, en rangeant les viandes dans la chambre froide, et en débarrassant la surface de tous les débris, trouvait toutes sortes de morceaux de viande crue plus ou moins mêlée de gras, mouton, porc, veau ou bœuf, peu importe et *il les mangeait*; plus exactement, il les partageait avec Alexandre Vladimirovitch, qui avait la même passion que lui. Mme Boillault l'avait surpris un jour, quand il était seul, et elle avait été horrifiée par cette passion mauvaise, aussi M. Boillault était-il content de partager avec Alexandre Vladimirovitch qui lui servait d'alibi en cas de surprise visite de sa femme. Alexandre Vladimirovitch lui-même préférait satisfaire sa passion discrètement, sûr que M. Boillault, et pour cause, ne le dénoncerait pas à Mme Eusèbe.

Ayant calmé sa gourmandise, il sortit rapidement par le square et s'en alla dans la tempête, avançant prudemment au bas des murs, reprendre sa surveillance, comme toutes les nuits. Car Alexandre Vladimirovitch s'était attaché comme une ombre aux pas du jeune homme de l'autobus T, qu'Hortense, dont il était l'amant, connaissait sous le nom de Morgan, et dont nous pouvons révéler maintenant (ce que le Lecteur avait certainement deviné tout de suite; le Lecteur est certainement plus perspicace que le comité de lecture de notre maison d'édition qui a réclamé cet éclaircissement, évidemment totalement et stupidement non nécessaire, mais que faire?) qu'il était exactement le même que le jeune homme qu'Alexandre Vladimirovitch avait vu dans l'appartement de l'escalier C au chapitre 3 et qui était, comme nous le savons depuis l'enquête d'Arapède, totalement inconnu de Mme Croche, la concierge, et par conséquent un squatter, selon toute vraisemblance (attention, nous ne l'affirmons pas comme vrai!).

Alexandre Vladimirovitch le suivait partout; il l'avait donc retrouvé chez Hortense et n'ignorait plus rien des charmes de notre héroïne (dont il se battait l'œil jusqu'au coude, nous pouvons vous le dire), et il avait assisté plusieurs fois, à titre purement documentaire, à leurs contorsions amoureuses infiniment moins dignes à ses yeux que la danse délicieuse de la petite chatte rousse d'Orsells à laquelle il consacrait tous les instants de liberté que lui laissait sa filature. Suivre le jeune homme était indispensable car, s'il avait compris beaucoup, il lui manquait encore le maillon décisif de la chaîne. Malgré la tempête ou peut-être même en raison d'elle, il savait que celui-ci sortirait cette nuit, et il se sentait proche d'une révélation de la plus haute importance pour son avenir.

La tempête se déchaînait maintenant sur la Ville ; les automobiles zigzaguaient, déportées par le vent, et essayaient de ne pas trop s'enrouler les unes autour des autres ; un autobus T était arrêté en travers du carrefour, et une petite vieille dame dans une toute petite voiture qui arrivait à peine à la cheville de l'autobus l'insultait avec un vocabulaire qui faisait frémir d'étonnement les voyageurs, du moins ce qu'ils pouvaient en percevoir entre les rafales terribles du vent qui vous enfournait de l'air dans la bouche avec violence et ne vous laissait pas le digérer et l'expirer avant de vous la remplir de nouveau. Les deux amoureux, inconscients de tout ce vacarme, étaient en train de se livrer avec enthousiasme à une variation d'une certaine formule que vous pourrez trouver mentionnée (sous le nom de *corkscrew movement*) dans un des volumes de *My Life and Loves* de Frank Harris qui avait été une des lectures favorites d'Hortense quand elle avait quatorze ans. Elle l'avait dérobé en forçant le tiroir dans le rayon « spécial » de la bibliothèque de ses parents, de préférence à Krafft-Ebing et Havelock Ellis. Et Freud.

Alexandre Vladimirovitch soupira, rangea ses pattes sous sa fourrure en position d'attente et pensa à autre chose.

La tempête se déchaîna toute la nuit. Entre deux vagues d'assaut de vent, il plut. Des torrents de pluie se déversèrent sur la Ville, emportant toutes sortes de débris vers les égouts surmenés et faisant une bonne partie du travail de la voirie par l'élimination des innombrables dépôts canins qui font de nos rues les rues les plus porte-bonheur de l'Occident.

Le jeune pr... (nous voulons dire le jeune homme ; excusez cette regrettable coquille), comme Alexandre Vladimirovitch l'avait prévu, fut très longtemps dehors cette nuit-là. Il était bien préparé à la tempête, avec un ciré gallois et un suroît. Mais Alexandre Vladimirovitch, malgré son habileté et sa connaissance des rues, ne put éviter d'avoir les pattes trempées ; il souhaita ardemment que cette affaire se termine. Le jeune homme rentra chez lui (si on peut dire) vers trois heures du matin, les bras chargés de valises et de paquets, comme d'habitude ; il n'y resta pas longtemps et rejoignit Hortense, pour jouir d'un repos gagné (nous ne dirons pas *bien gagné*).

Le tempête avait à peu près épuisé ses effets. Les nuages, ou ce qu'il en restait encore en ordre de marche, se reformèrent en cohortes, en théories et en divisions, et s'en allèrent vers l'est, dégageant peu à peu le ciel et préparant une aube tendre sur une ville assez sérieusement dévastée : des branches d'arbres et des cheminées gisaient à terre ; des canalisations avaient crevé et ajoutaient leurs flots javellisés aux purs ruisseaux d'eau céleste ; il y aurait de quoi faire pour les pompiers et la voirie, et ensuite pour l'armée, au moment des inondations qui ne tarderaient pas à se produire.

Mais pour l'instant tout était calme et paisible dans l'aurore approchante. Les habitants, soulagés par une modification sensible de la pression atmosphérique et du degré hygrométrique de l'air, avaient trouvé enfin un repos tant attendu, et chacun dormait, se préparant à un retard général de l'activité urbaine. Les oiseaux revinrent dans les arbres, burent dans les flaques, gazouillèrent à la Messiaen sur les branches parmi les feuilles fraîches et mouillées. Le soleil, qui s'était caché la tête sous un drap tant il avait eu peur, commença à prévoir une rentrée modeste. Beaucoup de terre et de sable avait rejoint le caniveau de la rue des Grands-Edredons. Les rivières de la pluie se retirant avaient laissé des dessins de dunes et de bancs imitant à s'y méprendre l'état de la Loire par basses eaux, et les chercheurs du laboratoire d'hydrographie de l'université, touchés par les restrictions de crédit décidées au petit déjeuner par le ministère, y viendraient au cours de la journée étudier, ne pouvant se payer de coûteux simulateurs de tempêtes avec souffleries, sols, et cours d'eau en vraie grandeur.

Alexandre Vladimirovitch vérifia que le jeune homme était bien endormi dans les bras d'Hortense, qui dormait nue et fort innocente pendant tout le vacarme, sans broncher, comme si elle avait retrouvé le sommeil sans remords de Veronica Boillault. Puis il retraversa le carrefour, la rue des Citoyens et revint dans le square, et là, un spectacle inattendu le fit s'arrêter sur ses pattes avant. Au pied de l'escalier C, plus exactement sous la fenêtre du deuxième droite qui était l'appartement du jeune homme, gisaient des débris d'argile, de poterie ; non, c'étaient les débris de la statuette qu'Alexandre Vladimirovitch avait aperçue au chapitre 3, sur le rebord de la fenêtre, à côté de la bouteille de lait. Un coup de vent particulièrement violent l'avait fait basculer dans le vide et, la pesanteur aidant, avec une accélération extrêmement proche de *g* (nous tenons compte de la résistance de l'air bien entendu), elle était venue se fracasser en bas en x morceaux (il n'avait pas le temps de les compter) ; en un éclair, Alexandre Vladimirovitch vit le danger qui menaçait ses plans ; en un éclair également, il vit ce qu'il fallait faire et aussitôt il agit (le tout n'avait guère pris plus d'une seconde, les réactions des chats sont extrêmement rapides). De la patte, regardant autour de lui pour s'assurer que personne ne le voyait (il était six heures du matin, une lueur commençait à peine à poindre à l'est, mais le square des Grands-Edredons était parfaitement vide), il déplaça, juste ce qu'il fallait, les débris (un à un) de la statuette.

Puis il sourit dans sa moustache et rentra dans l'épicerie.

Complément au chapitre 18 et simultanément continuation de la réponse à la question spéciale du premier entre-deux-chapitres qui s'est poursuivie au chapitre 9, 11 et au deuxième entre-deux-chapitres

Les réactions des chats sont extrêmement rapides et le déplacement des débris de la statuette délogée de son support par la grande tempête d'équinoxe n'avait pris qu'un instant. Mais il nous faut nous demander avec un peu plus d'insistance que le chapitre, pour quelles raisons *Alexandre Vladimirovitch avait commis cet acte aux conséquences non négligeables. Le chapitre 18 (auquel la présente note est un addendum, ce qui ne l'empêche pas d'être aussi la suite du récit des amours d'Alexandre Vladimirovitch) a donné à Alexandre Vladimirovitch un mobile, un seul, d'ailleurs voilé de mystère. Et sans doute le chapitre 18 a ses raisons (nous le savons, c'est nous qui l'avons écrit). Il n'en reste pas moins que les actions des chats n'ont jamais, à la différence de celles des humains, une cause unique, ou même une cause principale. Quand, par hasard, plusieurs causes se disputent l'esprit d'un humain, il y en a toujours une qui a la prééminence dans son esprit (cela tient à l'inadéquation du langage, incapable de dire tout en un seul son harmonieux, comme le miaulement, mais obligé d'étaler la pensée en phrases. Sans parler de la ridicule diversité des langues, imparfaites en cela que plusieurs).*

Alexandre Vladimirovitch avait au moins une autre raison, *pas moins impérieuse, pour déplacer les débris de la statuette. Elle sera dévoilée en deux temps (logiquement et chronologiquement dépendants), aux chapitres 23 et 26 respectivement (à la fin).*

Chapitre 19

Le rêve d'Arapède

L'inspecteur Arapède rêvait. Il rêvait qu'il était dans un grand commissariat très propre et très moderne où il avait son propre bureau et sa propre pièce réservée aux interrogatoires. Le rêve qu'il rêvait était le même que celui qu'il avait rêvé la veille, et toutes les nuits depuis la première du roman ; il en était parfaitement conscient dans son rêve et il s'efforçait, en conséquence, de faire bien attention, afin d'en déchiffrer le sens qui, sentait-il, continuait à lui échapper. Il y avait trois personnes dans le bureau du rêve : lui-même, représenté par le regard qui voyait et qu'il savait voir, parce qu'en même temps, il se regardait rêver (ou plutôt, il savait qu'il était là, un des personnages du rêve, en train de rêver) ; l'inspecteur Blognard, qui avait en main un diabolo grenadine au moins quadruple et une énorme plaquette de réglisse comme une plaquette de chocolat ; et enfin, sur une chaise jaune et nue, en plastique, achetée dans un monoprix de Dijon lors d'une enquête (c'était la propre chaise de cuisine de l'inspecteur Arapède, il la reconnaissait bien), le suspect M. X. Il aurait bien voulu voir qui était le suspect. Chaque jour, il semblait plus proche d'apercevoir son visage, mais c'était comme un de ces noms qu'on connaît bien, mais qui, tout d'un coup, vous échappent, ou la traduction d'un mot dans une langue étrangère, que l'on connaît également, mais qui, on ne sait pourquoi, se dérobe (et Arapède découvrait brusquement que les mots dans une langue étrangère sont comme des noms propres dans votre propre langue, et il était très fier de cette découverte fondamentale de philosophie du langage). Le suspect était sur la chaise jaune, essayant et réussissant encore à dissimuler son visage qui était en fait, Arapède le savait, celui du coupable, mais il *rêvait « suspect »* parce que cela correspondait à la situation d'interrogatoire.

Blognard et lui se livraient à un *third degree*, un troisième degré comme Humphrey Bogart, James Cagney ou Edward G. Robinson. Arapède avait toujours rêvé de conduire un *third degree* et disposer du matériel adéquat, lampes fortes et hamburgers, par exemple ; le *third degree* du rêve était de ceux qui auraient laissé perplexe un district attorney californien, et même, sans doute, Perry Mason ; il consistait en un dialogue entre Blognard et lui sur le problème théorique de la preuve, et le suspect mourait d'envie d'intervenir, cela se voyait à la façon dont il s'agitait sur sa chaise, mais il n'y était pas autorisé, et on sentait qu'à un moment de l'interrogatoire, il n'y tiendrait plus, qu'Arapède verrait son visage, connaîtrait le coupable (son nom était presque là, sur une autre page du livre) qui, en même temps, avouerait. Cependant cela ne s'était pas encore produit. La conversation-interrogatoire était quelque chose de ce genre :

Blognard : Je suis heureux de constater que tu as

abandonné les propositions extravagantes dont on m'a dit que tu les soutenais.

Arapède : Et quelles sont-elles ?

Blognard : Il m'est revenu aux oreilles (et rien dans notre interrogatoire de la nuit dernière ne me permettait malheureusement de nier que telles fussent bien tes opinions) que tu étais quelqu'un qui affirme cette thèse, la plus indéfendable qui ait jamais été soutenue par un policier, qu'une *preuve matérielle* de la culpabilité de qui que ce soit pour quelque crime que ce soit n'existe pas.

Arapède : Qu'il n'existe rien de ce que les policiers et juges d'instruction, juges et journalistes appellent *preuve matérielle*, j'en suis intimement persuadé, mais je ne vois rien d'absurde dans cette opinion.

Blognard : Quoi ! Y a-t-il rien de plus fantastique, de plus contraire et répugnant au sens commun, de plus manifestement le fruit d'un désordre sceptique, que croire qu'il n'existe pas de *preuve* !

Arapède : Doucement, mon cher Blognard. Et si je vous prouvais que vous, vous-même, qui affirmez l'existence matérielle de telles choses que les preuves, êtes, en vertu même de cette opinion, un beaucoup plus satané sceptique que moi-même, et tombez dans un nombre considérable de paradoxes et de contradictions ?

Blognard : Mais n'es-tu pas un sceptique avéré ?

Arapède : Qu'est-ce, selon vous, qu'un sceptique ?

Blognard : Eh bien, ce que tout le monde sait, quelqu'un qui doute du ministère de la Justice, de la préfecture de police et des procédures d'établissement des preuves judiciaires ; en bref, quelqu'un qui doute de tout.

Arapède : Donc celui qui ne doute que d'une seule

chose, concernant un *point particulier* ne peut être considéré comme un sceptique ?

A ce moment, Arapède, dans le rêve, se sentait envahi d'un sentiment de chaude certitude ; il sentait qu'il était près de coincer Blognard ; mais le suspect le sentait aussi, il s'agitait frénétiquement sur la chaise jaune, tant et si bien que le pont des rêves, fragile comme un pont de papier japonais s'effondrait, et Arapède se retrouvait dans son lit. Il allumait, et allait préparer son café au lait du matin.

Arapède était de famille modeste. Après des études fort difficiles, il lui était venu sur le tard l'ambition métaphysique, et il était entré dans la police, où il était devenu le bras droit du célèbre inspecteur Blognard. Arapède admirait infiniment Blognard et il aurait beaucoup voulu le convertir au pyrrhonisme, le système philosophique auquel, après de longues hésitations, il s'était finalement rallié. Il était célibataire, lent et massif, de taille moyenne, habillé d'un costume noir ; il habitait avec sa mère, veuve, un petit appartement de l'avenue Sextus Empiricus, dans le quartier des ambassades.

Arapède était un policier extrêmement consciencieux. Ce que Blognard lui demandait, les interrogatoires et les enquêtes de détail les plus minutieuses, il l'accomplissait avec une perfection tenace qui faisait l'admiration, l'envie, et un peu la jalousie de ses collègues. Blognard disait souvent que, sans Arapède, il n'aurait pour ainsi dire jamais réussi à mener à bien une enquête, c'est-à-dire jusqu'à la phase ultime, où la condamnation du coupable était certaine, quels que soient les efforts et l'habileté de la défense au cours du procès. Ce n'était pas faux, et cette ténacité parfaite d'Arapède était, contrairement à ce que Blognard lui avait dit avec exaspération lors d'une de leurs innombrables polémiques philosophiques, le résultat de son pyrrhonisme, et non en opposition irréductible avec lui. Il traquait la certitude jusque dans ses moindres recoins, trouvant en définitive toujours la paille dans la poutre des preuves, le défaut fatal que lui seul voyait (alors que tous les autres se contentaient d'une certitude de deuxième qualité), et qui faisait naître au coin de sa bouche ce petit sourire que Blognard n'aimait guère (car parfois le doute arapédien donnait naissance à des difficultés de première grandeur).

Arapède, de par son système de pensée et le sérieux de sa manière de considérer les devoirs de son métier (il essayait de ne jamais être en défaut d'attention devant Blognard), menait une vie pleine, laborieuse, qui ne lui laissait que peu de temps pour les distractions ; il ne sortait jamais, sauf pour des invitations chez les Blognard, allait au cinéma une fois par semaine avec sa maman qui adorait les comédies musicales et était une fan de Busby Berkley (elle l'avait traîné plusieurs fois voir ce film inepte et invraisemblable, de l'avis d'Arapède, où Carmen Miranda descend, est descendue plus exactement, à l'aide d'une poulie le long d'un paquebot avec un immense plat de fruits et légumes sur la tête en guise de chapeau, le *tutti frutti hat*) ; il allait lui-même, tout seul, une fois par mois, voir des films policiers américains, se constituant une filmothèque intérieure aussi complète que possible des scènes d'interrogatoire, lesquelles nourrissaient, comme en ce moment, ses rêves.

Son entraînement essentiel était à la patience. Pour

cela, il avait depuis longtemps trouvé l'exercice idéal, qu'il pratiquait avec régularité : il était devenu peleur d'œufs. Pour que le Lecteur mesure bien la nature et la difficulté particulière de cet exercice, nous préciserons qu'il s'agissait de peler des *œufs crus*. Il s'y consacrait tous les matins une heure, sur une petite table spécialement et exclusivement réservée à cet effet. Il posait l'œuf devant lui sur la table, dans un cocotier scié de façon à laisser découverts les quatre-vingt-onze centièmes de la coquille de l'œuf et à le maintenir à la base. Il donnait un coup sec sur la partie supérieure, ce qui lui permettait d'enlever le premier bout de coquille sans déchirer la membrane de l'œuf, puis il avançait lentement, avec une prudence extrême, jusqu'à ce que l'œuf soit nu, et alors, et alors seulement, il le jetait prestement dans la petite poêle où sa mère le faisait cuire avec du bacon. L'opération demandait à peu près une semaine. Il n'avait jamais échoué. Certains dimanches où il était sur une enquête particulièrement difficile, il avait pelé un œuf en une seule séance, presque dix heures d'affilée. Il conservait le portrait de chacun des œufs ainsi pelés (au moyen de photographies en couleurs), sur le mur de sa chambre par rangées de vingt-trois. Il y avait déjà vingt-six rangées complètes et il allait en commencer une nouvelle.

S'étant lavé les mains soigneusement au savon de Marseille après sa séance matinale de début de pelage œuf (c'était un œuf particulièrement difficile, un œuf canard à peau très fine, et il avait besoin de toute concentration pour ne pas échouer dans les passa-es plus difficiles, celui du franchissement de l'équa-vous voyez ce que nous voulons dire), l'inspecteur

Arapède sortit son carnet et examina son emploi du temps de la journée : ce jour-là, le surlendemain de la grande tempête d'équinoxe, il devait se rendre à l'épicerie Eusèbe recueillir le témoignage de la patronne et du patron, M. et Mme Eusèbe. Il soupira. En fait, il n'aimait pas tellement cet aspect des choses : les témoignages des personnes qu'il interrogeait, suspectes ou pas, de bonne volonté ou non, étaient toujours exaspérants d'imprécision, d'inexactitudes. Il préférait même les bons gros mensonges, car au moins, on savait à quoi s'en tenir ; il prévoyait le pire avec les Eusèbe.

Il était presque au bout de sa tâche, il avait déjà interviewé les Groichant, les Orsells, les Mme Yvonne, en fait tous les habitants de l'escalier D. Mais aussi, quoique plus sommairement, les habitants des autres escaliers. Il avait rempli complètement un cahier de sa belle écriture soignée avec une plume ancienne de la marque Sergent-Major (comme il avait du mal à en trouver, après l'épuisement de la réserve laissée par son père, le capitaine de gendarmerie Arapède, qui la lui avait léguée, il les faisait faire exprès sur le modèle ancien par un petit artisan de la rue des Chaufourniers). Il écrivait à l'encre violette, utilisant un sous-main-buvard vert, sur un pupitre légèrement incliné ; chaque jour, il photocopiait son rapport de la veille et le remettait (la photocopie, bien entendu) à l'inspecteur Blognard, mais il apportait quand même le cahier à Blognard qui préférait le lire dans l'original, comme il disait, car la photocopie perdait une partie des pouvoirs de l'écriture.

Il prenait très grand soin de ces rédactions, le soir, après le dîner (du bouillon de poule, du hachis parmentier et un flan, par exemple) ; pendant que sa mère tricotait, il vérifiait l'orthographe des mots dans un vieux Littré, la cohérence syntaxique dans son Grévisse. Il commençait toutes les phrases par une majuscule, et les paragraphes par une majuscule plus haute. Il variait aussi le style des présentations, se contentant parfois du style indirect, introduisant souvent des dialogues où il aimait, comme dans les pièces de théâtre de la collection de *l'Illustration* de sa mère, les indications scéniques et la répétition de son nom, en lettres majuscules ; par exemple : ...septembre, dix-sept heures quarante, chez les Boillault ; la scène représente une boucherie ; sur le sol, dans la sciure, deux pattes de poulet ; la jeune Veronica est à côté de son père, qui lui tient la main et l'encourage à répondre aux questions du gentil inspecteur de police :

Arapède : Et ce monsieur avec les pots de peinture, il était grand ?

Veronica : Oui.

Arapède : Grand comme ça ? Non ? Comme ça ? Plus grand que ton père ?

Veronica : Non, pas plus grand que mon papa, mon papa est le plus grand, mon papa a un grand couteau et il coupe les viandes avec, quand je serai grande, je serai boucher et je couperai avec mon couteau.

Ce n'était pas seulement pour des raisons stylistiques et plus généralement esthétiques qu'Arapède rédigeait ses rapports comme des manuscrits de grand auteur. D'une part, cela lui permettait de se concentrer, de ne pas oublier des détails peut-être importants ; d'autre part, il profitait de l'occasion pour introduire comme repos dans ses récits des considérations d'ordre général faisant partie de sa polémique de tous moments avec Blognard ; il soulignait l'imprécision des réponses, renvoyait à d'autres passages de son cahier pour mettre en évidence les contradictions entre les déclarations des uns et des autres, et concluait par quelque formule de Montaigne ou de Chillingworth. Enfin, il savait que de cette manière il stimulerait l'intérêt, donc les fonctions intellectuelles, de Blognard et que de cette stimulation naîtrait l'étincelle.

Chapitre 20

Eusèbe

Mme Eusèbe répondit avec empressement et volubilité à l'inspecteur Arapède, prenant fréquemment Alexandre Vladimirovitch à témoin ; elle dit tout ce qu'elle savait, ce qui n'ajouta rien de nouveau aux connaissances d'Arapède, et tout ce qu'elle ne savait pas, ce qui fut fort long et n'ajouta rien de neuf non plus, bien entendu. Sa volubilité et son empressement ne surprirent point l'inspecteur qui était habitué à ce type de réaction dans les milieux et âges eusébiens, mais il sentit un très léger excès qui lui donna à penser que Mme Eusèbe avait quelque chose à cacher (c'était le cas, et plus encore que nous ne le savons) mais que ce qu'elle dissimulait, quoique honteux, n'était pas, probablement, de nature à intéresser la police, et n'avait, en tout cas, certainement rien à voir avec l'Affaire ; aussi se contenta-t-il de se montrer évasif, de lever le sourcil deux ou trois fois, et put vérifier qu'à chaque fois, Mme Eusèbe frémissait, regardait Alexandre Vladimirovitch et devenait encore plus volubile et empressée.

De manière indirecte mais nette, elle fournit à Eusèbe

un alibi, au moins pour les derniers attentats, et Arapède, jetant un coup d'œil par la porte au vieil épicier debout à son poste sur le trottoir, n'en fut pas surpris : Eusèbe n'était pas pour lui un suspect très vraisemblable.

Il fut nettement plus intrigué par le chat. Celui-ci visiblement savait quelque chose, et qui plus est, ce quelque chose semblait le concerner, car il essayait, vainement pour les yeux exercés de l'inspecteur, de cacher l'intérêt et la fascination qu'il portait à la conversation. L'inspecteur avait lu récemment une nouvelle traduite de l'anglais où il était question d'un chat, nommé Tobermory, qu'un savant allemand, invité pour un week-end dans une maison de campagne, avait initié aux charmes de la production articulée de sons humains ; le Tobermory en question en avait profité pour révéler sur les hôtes et les invités un ensemble de petits secrets déshonorants ou ridicules qui avaient rendu le week-end extrêmement animé. Et Arapède se dit qu'il aurait bien voulu faire subir à cet Alexandre Vladimirovitch ce même traitement, et ensuite l'amener dans le commissariat de son rêve, pour le mettre sur la chaise jaune et le faire passer au « troisième degré » ; en voilà un qui n'aurait certainement pas résisté à une bonne discussion sur la valeur des preuves matérielles. Mais, soupirant, il se résigna à fermer son carnet, à remercier Mme Eusèbe qui parut infiniment soulagée.

Au moment où il sortait, quelqu'un entra dans l'épicerie, en qui il reconnut, d'après photographie (il prenait grand soin, avant chaque série d'interrogatoires de se procurer les photographies des témoins/suspects, afin de se faire une idée de leur caractère, et donc de leurs réactions ; cela lui permettait de choisir à l'avance la tactique dialectique appropriée ; on ne pose pas les mêmes questions, ni de la même manière, à un bougnat, un sacristain ou un fonctionnaire), le père Sinouls, l'organiste de Sainte-Gudule. Il en profita aussitôt pour se faire connaître et solliciter un moment d'entretien. Le père Sinouls fut très content de cette diversion, il avait oublié ce que sa femme l'avait envoyé chercher exactement (il avait quelques troubles de mémorisation instantanée, ce qui faisait qu'il lui arrivait assez souvent de raconter à Yvette quelque chose qu'il tenait précisément d'elle depuis la veille, ou qu'il venait de lire dans le *Journal* qu'elle avait précisément sous le bras). Le père Sinouls expliqua donc à Arapède les tenants et aboutissants de l'Affaire, sa signification socioculturelle et ses probables développements. L'inspecteur en fut éclairé en général, assez peu en particulier, mais comme le père Sinouls n'était pas très haut dans sa liste de priorités, il n'en fut pas affecté. Il se dirigea ensuite vers Eusèbe.

Eusèbe le vit venir sans enthousiasme, et même avec agacement. Il sentait qu'il allait être dérangé pour rien. Depuis la tempête d'équinoxe, le temps s'était remis au beau, mais il faisait nettement plus frais et les jours, ma foi, raccourcissaient comme ils en ont l'habitude à pareille époque ; c'est le moment où ça commence à se voir ; ça allait bientôt être l'heure d'hiver qui mettrait encore plus de nuit dans les soirées ; les touristes se faisaient plus rares, elles étaient encore assez nombreuses, mais elles sortaient plus tard et rentraient plus tôt, et surtout elles avaient commencé à se couvrir un peu partout. Cela avait bien entendu pour Eusèbe des inconvénients manifestes : passer d'une période d'abondance extrême où il ne savait pas où donner de l'œil et de la salive, tant à cause de la quantité et de la qualité que de la surface et de la transparence, à une autre, qui n'était certes pas celle de la pénurie (c'était le mois de février qui était le pire à cet égard) mais qui, néanmoins, obligeait à une attention soutenue si on ne voulait pas laisser échapper les occasions, tout cela était éprouvant. Mais, en fait, les avantages étaient presque aussi importants, car il pouvait mettre en pratique toutes les connaissances qu'il avait acquises pendant le printemps et l'été, tester la justesse de ses réactions, déduire par la comparaison et la mémoire ce qui se trouvait maintenant partiellement dérobé au regard direct. Cela avait son charme ; l'air était vif, quelque petite Anglaise imprudente passait avec un chemisier transparent, frissonnant de tous ses petits seins pointus et de toutes ses petites fesses roses (une supposition très vraisemblable), dans le petit vent fraîchissant de la dernière semaine de septembre, et Eusèbe en était tout ragaillardi.

Et voilà que ce gros balourd l'embêtait avec ses questions. Eusèbe mit un certain temps à se rendre compte que l'inspecteur voulait lui demander s'il n'avait pas remarqué des agissements suspects d'individus douteux dans la rue des Citoyens :

— Comme madame votre épouse me l'a dit, vous êtes le plus souvent ici sur ce trottoir, et personne ne peut passer par là sans que vous le voyiez.

Eusèbe ne comprit tout d'abord rien à ce qu'Arapède lui voulait. Il pensa qu'il faisait des statistiques, pour le compte de la municipalité, sur le nombre de touristes femelles qui se déplaçaient dans l'un ou l'autre sens selon les heures du jour, les jours de la semaine et les mois de l'année ; il avait des idées extrêmement nettes à ce sujet, et il était prêt à les transmettre ; il en profiterait pour demander à ce gros s'il savait pourquoi il en passait plus dans le sens est-ouest que dans le sens ouest-est ; il espérait que ce n'était pas qu'elles étaient enlevées en arrivant au centre de la ville par un gang de la traite des touristes. Il y eut donc dans leurs échanges un moment de confusion. Quand Eusèbe donna quelques chiffres, Arapède les nota puis se mit à penser que ça faisait vraiment beaucoup de suspects pour une seule rue. Changeant de ligne, il demanda à Eusèbe s'il pouvait décrire un de ces suspects : Eusèbe s'empressa de le faire, indiquant les couleurs des robes comparées à celles des culottes dans le vaste grenier de sa mémoire, choisissant un spécimen particulièrement étincelant :

— Vous n'imaginez pas, dit-il, combien on peut être déçu par les fesses quand on y réfléchit et qu'on compare ce qu'on vous montre avec ce qui est là (comme la déduction vous le désigne), il y en a, il y en a qui trichent ! C'est incroyable !

La raison d'Arapède commençait à vaciller. Se ressaisissant, il demanda à Eusèbe s'il pouvait, et sans entrer dans d'autres détails anatomiques intimes, lui décrire *un* suspect, un homme. Eusèbe le regarda soudain avec surprise qui fit rapidement place à l'indignation.

— Quoi ? quoi ? Un homme ? Mais vous êtes malade ou quoi ? Les hommes ne sont pas intéressants, je ne sais rien, moi, des hommes qui passent, qu'est-ce que vous voulez que ça me fasse, moi, les hommes ? Ils ont des seins, les hommes ? Ils ont des... et il entra dans une série de précisions indignées qui firent battre Arapède en retraite avec précipitation.

Ce soir-là, Eusèbe, au moment de se coucher, fut comme pris d'un doute. Il venait d'achever son bol de soupe, en faisant des bulles dedans avec ses lèvres, comme d'habitude, quand tout à coup, il se souvint des paroles de l'inspecteur : un bon citoyen doit regarder autour de lui, afin de pouvoir renseigner les autorités sur les agissements suspects. C'est à cette seule condition que la sécurité sera assurée dans notre Ville. Et Eusèbe, tout d'un coup, se demanda s'il était un bon citoyen. Dans un premier temps, cela ne lui parut pas bien grave.

— Je ne suis pas un bon citoyen, peut-être. Qu'est-ce que ça peut me foutre, à moi, d'être un bon citoyen ? Les hommes, c'est pas intéressant à regarder, c'est quand même pas difficile à comprendre.

Et il acheva son yaourt avec des pêches au sirop, dans un état d'indignation vertueuse dont il fit immédiatement part à Mme Eusèbe. Celle-ci, toute heureuse d'avoir échappé au regard inquisiteur et dangereusement perspicace de l'inspecteur, mais cependant inquiète pour l'avenir, ne fut pas d'accord avec lui : ces gens-là, il faut leur dire ce qu'ils demandent, comme ça on n'a pas d'ennuis.

— C'est pas pour dire, Eusèbe, mais je trouve que tu as eu tort de mal répondre à l'inspecteur qui était bien poli et bien élevé, si ça se trouve, il y en a d'autres qui ne sont pas aussi gentils que lui !

Eusèbe écarta ces jérémiades du revers de la main ; c'était une question de principe, on voulait lui faire dire que les hommes aussi étaient intéressants à regarder, et ça, non, il ne voulait pas, pour quoi on le prenait, pour un pédé peut-être. Il se leva de table dans un grand ouragan de passion morale.

Mais quand il se retrouva seul au moment de se coucher (Mme Eusèbe était descendue parler avec Alexandre Vladimirovitch), son exaltation tomba et il commença à se sentir incertain. Ce n'était pas à cause de sa réponse à l'inspecteur qu'il avait des remords, ce n'était pas qu'il regrettait son refus, c'était un doute plus vaste, plus taraudant, plus radical : cela faisait des années qu'il étudiait, et qu'est-ce qu'il savait au juste ? Se le demandant, cherchant comment il pourrait exprimer en une phrase la quintessence, la somme de savoir qu'il avait acquise de ses milliers d'observations aiguës, précises et systématiques, il ne put y parvenir ; il ne se présenta à son esprit qu'un amas confus de lèvres, de culottes, d'épaules, de seins, de cuisses féminines de toutes nationalités et revêtements, qui se mirent à danser devant ses yeux, à le plonger dans un vertige.

Je ne sais rien, se dit-il, je ne sais rien du tout. Tout n'a servi à rien, à quoi bon.

Il se mit avec précaution sur ses pieds, car tout tournait autour de lui et la procession infernale des corps féminins de plus en plus nus et enchevêtrés continuait dans sa tête.

Alors, comme il faisait toujours quand il rencontrait dans sa vie un problème difficile, il décida d'aller pisser. Depuis plusieurs années, il avait un certain mal à pisser ; ce n'est pas que ça lui faisait mal, non, simplement, ça lui prenait de plus en plus de temps et il fallait qu'il passe cinq, dix minutes devant la cuvette des w.-c. à penser à toutes sortes de choses avant que ça vienne et qu'enfin il pisse, lentement, très lentement, mais sûrement. Au début, ça l'avait ennuyé, mais très vite il avait transformé cette faiblesse en force, car il avait observé qu'en restant là, comme ça à penser à pisser, puis à pisser en pensant, tous les ennuis de la vie s'évanouissaient, tous les problèmes apparemment insolubles trouvaient une solution ; et cela, depuis qu'il avait découvert ce qu'il appelait, muettement, la *Méthode Eusèbe pour Pisser*. C'était comme ça : il restait, comme toujours, quelques minutes à penser, à penser à tout, à penser à rien, de façon à mettre la vessie dans de bonnes conditions morales, ça, c'était important ; et alors, quand il sentait, à quelque disposition intérieure, que ça venait, il prenait le grand verre de limonade qu'il avait posé devant lui sur le rebord de la lucarne, à droite de la chasse d'eau ; et il prenait une grande gorgée qu'il avalait d'un coup. Alors, miraculeusement, par un effet dont les équations physiques lui échappaient, mais dont il pressentait qu'il s'agissait certainement d'une découverte aussi importante que celle de la culture des pommes par Neuton ou la relativité des choses de ce monde par Inchtin, ça y était, il pissait, et à chaque gorgée qu'il avalait ensuite à petits coups, une sortie violente de sa vessie résultait, dont il tirait une satisfaction intense, se sentant ainsi transformé en citerne cosmique. Et enfin, quand il avait fini le verre de limonade et achevé de pisser, le problème qui le tarabustait était résolu !

Mais hélas, ce soir-là, il ne devait pas en être ainsi. La ronde infernale, le tourbillon des images de nudités féminines, le doute, engendrés en lui par les questions odieuses de l'inspecteur Arapède continuèrent ; toutes les visions accumulées en lui pendant ces années sortaient de sa tête, à grands jets, et il ne restait plus rien. Reposant le verre avant de sortir, il aperçut alors sa tête dans le miroir accroché devant le réservoir de la chasse d'eau. Il vit sa vieille tête, et il pleura.

Chapitre 21

Yvette va chez Hortense

Le premier dimanche de l'heure d'hiver, Hortense téléphona à Yvette : elle voulait la voir.

— Viens déjeuner, dit Yvette.

Elle bâilla ; il était onze heures, mais elle avait mal aux cheveux, car elle avait trop bu la veille chez Sinouls, après avoir regardé la sixième des grandes émissions de la télé « Les plus beaux France-Galles », chez son père.

— Je ne peux pas, dit Hortense, il faut que tu viennes chez moi, j'ai quelque chose à te montrer.

— Et Morgan ? dit Yvette, sachant que Morgan ne tenait pas à être aperçu des amis et connaissances d'Hortense.

— Il est parti chez sa mère pour le week-end à cause de l'heure d'été.

— A cause de l'heure d'été ?

— Oui, il faut qu'il aille la consoler à cause de l'heure d'été. Elle ne peut pas s'y habituer, je veux dire elle ne peut pas s'habituer au changement d'heure. Elle est anglaise tu sais, ajouta Hortense comme si ça expliquait tout.

On convint d'une heure, et Yvette amènerait le dessert et le pain.

Hortense ne voulut rien dire avant le déjeuner. Elle paraissait tendue et nerveuse, pas du tout le gai pinson au teint resplendissant et aux yeux cernés, semblant sans cesse sortir du lit, qu'elle avait été pendant tout le mois (l'image est sans doute incertaine. mais elle dit bien ce qu'elle veut dire). Les spaghettis étaient trop cuits et collaient, les bouts de lard légèrement carbonisés. Hortense faisait et défaisait des boulettes de mie de pain.

Après le déjeuner, Hortense conduisit Yvette dans sa chambre. Sur le lit, elle avait posé une grande trousse de cuir noir, et elle dit à Yvette :

— Voilà ! Je suis sûre qu'il me trompe. Il doit y avoir tout, là-dedans, mais je préférerais que ça soit toi qui l'ouvres, je ne veux pas fouiller dans ses affaires.

Yvette sourit et ouvrit la trousse : elle contenait différents outils, un gros bâton d'acier avec une pointe fourche, tout un trousseau de clés, des tournevis, des lames de rasoir, plusieurs paires de gants... Il y avait aussi une petite liasse de lettres, en paquet attaché d'un ruban bleu. Avec un petit cri de rage Hortense se précipita sur les lettres.

— Tu es sûre que tu ne devrais pas mettre des gants ? dit ironiquement Yvette.

— Pourquoi ?

— Pour les empreintes digitales !

Mais Hortense ne parut pas l'entendre. Elle prit la première lettre du paquet et se mit à la lire. Son visage exprima une assez vive stupéfaction.

— Je n'y comprends rien, dit-elle ; qu'est-ce que tu en penses ?

La lettre disait ceci :

« Prison de l'abbé-faria, infirmerie, le... septembre...

« C'est de l'hosto que je t'écris, mon pauvre Gogor, je ne sais pas ce qui m'a pris encore, c'est des maladies que ça se voy' pas quand c'est ça qu'y a, alors je suis à l'infirmerie de la prison de l'abbé-faria. » Suivaient des nouvelles de différentes copines et autres emprisonnés ou non, et c'était signé : « ta Marguerite, ton petit croûton moisi ».

— Si c'est ça, sa folle maîtresse, dit Yvette, tu n'as rien à craindre pour le moment.

Hortense parcourut quelques autres des lettres du paquet, qui ne semblèrent pas l'éclairer beaucoup plus. Elle poussa un soupir et s'assit sur le lit.

— Mais tout ça, qu'est-ce que c'est ? dit-elle en montrant le contenu de la trousse qui s'étalait maintenant sur le couvre-lit.

— Ça, petite, dit Yvette, sautant le pas, ça, si je ne me trompe fort, c'est une trousse de cambrioleur. Ce gros truc de fer-là, ça s'appelle une pince-monseigneur, et il y en a au moins trois de tailles différentes. Et ça, je crois, c'est un diamant pour tailler les vitres, pour faire un trou bien propre dans une fenêtre et entrer doucement. Et ça, tu vois, c'est une échelle de corde.

Hortense resta d'abord bouche bée. Elle regarda Yvette et parut rajeunir tout d'un coup de quinze ans, ce qui ne lui en laissait pas beaucoup. Et puis les coins de sa bouche s'écartèrent, ses lèvres se mirent à trembler légèrement, et brusquement, elle éclata de rire.

— Ah, c'est trop beau, c'est merveilleux, quelle joie ! criait Hortense en applaudissant des deux mains, en trépignant d'enthousiasme, en embrassant Yvette sur les genoux, en se tordant de rire, en se tenant les côtes en regardant la pince-monseigneur et en pouffant.

— C'est merveilleux, tout simplement merveilleux, mon amant ne me trompe pas, mon amant est un cambrioleur !

— Bon, si tu le prends comme ça, dit Yvette.

Elle attendit que ça se calme un peu.

— Et si tu m'expliquais pourquoi tu croyais qu'il te trompait ? dit Yvette.

— Eh bien, dit Hortense, en embrassant une pince-monseigneur sur les lèvres, c'est venu comme ça : tu sais qu'il m'avait dit qu'il était antiquaire ambulant nocturne.

— Oui, je sais, dit Yvette, ça t'a pas paru bizarre ?

— Non, dit Hortense, qu'est-ce que ça a de bizarre ?

— Ah, dit Yvette, j'ai dit bizarre ?

— Seulement, j'ai voulu qu'il passe la nuit avec moi et il a refusé. Il s'en va tous les soirs après dix heures, et il revient rarement avant sept heures du matin, je sais pas exactement, je dors, on fait tellement l'amour que je n'ai plus la force d'aller travailler. Quant à mon mémoire !

— Et Morgan ? dit Yvette.

— Oh lui, il est inépuisable, il prétend que c'est à cause de ses ascendances. Il est moitié anglais, moitié poldève, tu sais.

— Poldève, je ne savais pas, dit Yvette.

— Oui, son père qui est un prince, paraît-il, l'a abandonné quand il était petit. Et c'est ça qui m'a mis la puce à l'oreille ; je me suis dit que, peut-être, je n'arrivais pas à le satisfaire, pourtant je fais de mon mieux. Il dit que je suis très douée, tu sais, dit Hortense comme si c'était son premier amant et qu'Yvette n'était pas au courant de toute sa vie sentimentale. Et après je me suis dit que peut-être comme je ne lui suffisais pas, il en avait une autre ailleurs. Pas la nuit, bien sûr, il travaille, mais je ne voyais pas pourquoi il avait besoin de ressortir l'après-midi après avoir dormi toute la matinée. Il ne veut jamais aller au cinéma, tu sais, on passe tous les Hitchcock, et j'avais pensé...

— Je sais, dit Yvette ; alors ?

— Alors, dit Hortense et elle eut l'air honteuse, alors l'autre jour, je l'ai suivi. Il est parti, comme d'habitude, avec une grande valise pleine et il a marché assez longtemps, j'avais du mal à le suivre. Il est allé boulevard Cornichon-Moulinet, il y a là une grande maison très imposante, il a sonné et une femme est venue lui ouvrir, il est resté un quart d'heure (je me suis dit que c'était pas ça), et quand il est ressorti, la valise avait l'air moins lourde. Comme je suis bête, il était tout simplement en train d'écouler la marchandise !

— C'est pas trop tôt, dit Yvette, et après ?

— Eh bien, après, il a continué, il est allé dans un autre quartier et chaque fois il restait un petit moment, et je me disais que c'était une de celles-là, qu'il passait simplement pour donner un rendez-vous (il ne téléphone jamais quand il est ici), je ne sais pas, j'étais folle de jalousie. Quand il est revenu, la valise avait l'air vide, et moi je suis arrivée après, j'ai dit que j'étais allée à la Bibliothèque (il n'a pas fait attention, il n'est pas jaloux, lui !) et je lui ai demandé sans avoir l'air de rien où il était allé, lui. Et il a dit : « Rien, je me suis promené. » Alors j'ai été absolument sûre, et c'est pourquoi que je me suis dit qu'il fallait absolument que je sache, et je t'ai appelée, et voilà. Tout va bien maintenant.

Yvette ne trouvait pas que tout allait si bien que ça, mais elle ne savait comment souffler sur l'enthousiasme retrouvé d'Hortense.

— Pourtant, j'aurais dû me douter de quelque chose, dit Hortense au bout d'un moment.

Elles prenaient le café dans la cuisine, la trousse avait été refermée et remise en place.

— L'autre jour, il est venu avec trois machines à écrire japonaises, et il m'a demandé si je connaissais quelqu'un que ça intéresserait. Il en avait encore d'autres comme ça. Je ne voyais pas bien en quoi c'était une denrée qui concernait les antiquaires ! Il me fait plein de petits cadeaux, des bibelots, une douzaine de serviettes anciennes brodées, un manteau de vison (enfin pas en très bon état), il est très généreux.

On en resta là.

— Mais enfin, dit Sinouls, tu pouvais pas lui faire entendre que les opérations de soustraction et d'addition sont symétriques l'une de l'autre, et qu'il peut très bien...

— Je sais, dit Yvette, mais elle avait l'air si soulagée de découvrir que, sans doute, il ne la trompe pas (je ne vois pas quand il trouverait le temps, entre nous, il est d'une activité !) que je n'ai pas osé souffler sur son enthousiasme. Il ne peut rien lui arriver de grave, de toute façon, il a pas l'air méchant, ce garçon, tout cambrioleur qu'il est. J'aurais pu lui faire la morale.

— Oh, la morale, dit Sinouls, depuis que j'ai fait une chute de cheval.

— Tu as perdu tout sens moral, on sait, dirent Armance et Julie, ses filles, en lui coupant la parole.

Ça faisait presque dix-huit ans qu'elles l'entendaient, celle-là.

— Quelle gourde, cette Hortense, dit Armance à Julie quand elles furent seules : mais quelle gourde !

— A propos, dit Yvette, ton concert de l'inauguration, ça marche ?

— Oui, dit Sinouls, j'ai eu la nomination officielle, c'est Fustiger qui m'a valu ça.

— Et qu'est-ce que tu vas jouer ?

— Eh bien, j'ai fait une petite enquête musicologique à la Bibliothèque, car il fallait que je trouve quelque chose qui aille avec l'occasion, donc qui concerne la Poldévie, et j'ai trouvé : c'est une chaconne de Telemann, qu'il a composée après un séjour dans les tavernes poldèves, comme il faisait souvent. Il avait été invité par un des princes et il a ramené douze cantates et onze quatuors, sans parler de ces petites pièces pour orgue pas connues qui sont une vraie merveille : c'est une chaconne en trente-six variations, mais au lieu de varier simplement la mélodie, comme d'habitude (c'est un vieil air populaire poldève qui ressemble à cette chanson du Berry, tu sais, ça commence comme ça : « berrichon chon chon... »), il utilise en fait six morceaux mélodiques pratiquement indépendants, puis il les fait tourner les uns après les autres d'une manière d'ailleurs assez compliquée mais fort plaisante, ça met en valeur tous les jeux, mais le plus fort, c'est qu'il arrête juste au moment où, s'il continuait, on retrouverait la mélodie de départ. Je ne sais pas si les Princes Poldèves apprécieront, mais en tout cas c'est rudement bien à jouer. Ecoute un peu.

Et Sinouls alla au zinzin sur lequel se branchait son magnétophone à cassettes. Quand il travaillait une pièce d'orgue, il l'enregistrait sur son magnétophone, ce qui lui permettait ensuite de l'écouter à loisir sur son canapé et devant une bière, pour noter ce qui n'allait pas dans son interprétation. La musique telemanno-poldève s'éleva, virile et tendre à la fois, avec ce mélange de fleurs musicales populaires autant que luxueuses, savantes, dont le maître de Hambourg, amateur de tulipes comme de passacailles, a le secret. Le thème mélancolique de « berrichon, chon chon », légèrement rendu oriental, épicé et exotique, par son séjour dans les hautes montagnes poldèves, emplit le salon automnal de Sinouls, se mêlant au parfum des roses-thé d'automne que Mme Sinouls avait disposées en *ikebana* sur la table au pied de laquelle Balbastre rêvait en ronflant de sa bien-aimée perdue, la petite chienne Voltige.

— C'est drôle, dit Yvette, comme la Poldévie ne cesse d'apparaître à tous les détours en ce moment. Tiens, l'inspecteur qui s'occupe de l'enquête sur la Terreur des Quincailliers...

— Il est venu te voir, toi aussi ? dit Sinouls.

— Oui, et il m'a demandé si je n'avais pas vu une statuette poldève dans le quartier ; je me demande...

— Quoi ? dit Sinouls, car la chaconne passait par un mouvement particulièrement musclé.

— Je me demande, dit Yvette, si c'est pas quelque chose comme ça qu'il y avait dans la trousse du petit ami d'Hortense.

— Comme quoi ? dit Sinouls qui n'avait en fait rien écouté, car il se rendait compte qu'il jouait un peu trop vite entre la dix-huitième et la vingt-troisième variation.

— Rien, dit Yvette, je me trompe certainement.

Troisième et dernier entre-deux-chapitres

La Vénus poldève

Mais Yvette, bien sûr, vous l'avez deviné, cher et perspicace Lecteur, ne se trompait pas : le prince Gormanskoï, car c'était lui, l'héritier disparu du principalat poldève, qui était présentement cambrioleur de son métier et amant fou de la belle Hortense, avait dans sa trousse l'un des six exemplaires uniques de la célèbre Vénus poldève ou Vénus à l'Escargot, œuvre du génie de la Renaissance poldève, l'orfèvre Malvenido Snaïldzoï.

Il s'agit, dans chaque cas, d'une petite statuette de jade, d'un goût exquis et maniériste, représentant une belle déesse tenant dans ses bras un escargot. Et vous vous doutez également du fait, cher Lecteur, que les statuettes recherchées par l'inspecteur Arapède et l'inspecteur Blognard dans le cadre de leur enquête étaient des répliques médiocres, en terre, de ce trésor culturel de la Poldévie.

L'escargot est de taille respectable ; il a sorti ses cornes et regarde, avec une admiration non dissimulée, les charmes très évidents de la déesse.

Chapitre 22

Armance et Julie vont en bateau

Le premier dimanche d'octobre s'annonça beau. Le soleil, qui n'était pas aussi jeune qu'il l'aurait voulu, avait besoin de plus longtemps pour se mettre en forme ; les petites heures de la nuit étaient déjà piquantes et les manteaux se préparaient à sortir. Mais dès le vendredi à midi, on aurait pu se croire en été. Tout le monde se précipita en dehors de la Ville.

Les Sinouls et Yvette remirent les chaises longues dans le jardin. Armance et Julie avaient reçu un coup de téléphone de Mme Orsells qui avait besoin de leur aide pour s'occuper des jumelles (les siennes) ; elle avait d'abord demandé à Armance seule, mais elle réfléchit que deux n'étaient pas de trop. Les jumelles Orsells, Adèle et Idèle, étaient de vraies petites pestes, mais Armance et Julie — à jumelles, jumelles et demie dit-on — étaient tout à fait capables de les maîtriser. Mme Orsells avait besoin, inopinément, de toutes ces heures pour taper, sous la dictée, un tapuscrit important de son mari, qui devait être remis le lundi à l'imprimeur. Les jumelles Sinouls acceptèrent bien volontiers, pour l'argent de poche, mais aussi parce qu'elles aimaient bien Mme Orsells, née Hénade Jamblique, avec son grand air blond, triste, et calme.

L'escalier D du 53 sentait l'eau de Javel et le silence, tous les habitants s'étaient précipités sur les routes dès le premier bulletin météo du samedi. On n'entendait pas encore le bruit de la machine électrique de Mme Orsells, une Smith Corona 2000 à ruban fil (35,50 francs pour une trentaine de pages dactylographiées, et ruban correcteur pour les derniers dix signes automatiquement, signe à signe sinon), mais sa voix grave et tendre à la fois, qui chantait une romance dans la cuisine pendant que les jumelles buvaient leur bol d'*ovomaltina* (une boisson maltée et chocolatée achetée à Rome par leur père, lors du dernier congrès international de Philosophie appliquée), en dévorant une grande assiette de pancakes au sirop d'érable (rapporté de Montréal cette fois à l'occasion de la rencontre des Philosophes philosophophones des deux continents), six pour chaque. Mme Orsells chantait : « Ah vous parlez de vous pendre aux branches de ces ormeaux mais vous savez bien Lysandre que ça fait peur aux oiseaux ! » Sur le dernier vers, la mélodie baissait mélancoliquement, et Mme Orsells répétait « que ça fait peur aux oiseaux ! » Elle était debout devant le fourneau et tournait les pancakes, l'un après l'autre, avant de les mettre dans l'assiette de ses filles : un pour Adèle, un pour Idèle, arrosé chacun de sirop d'érable, couleur de miel et de tisane, et d'un noyau de beurre qui fondait dans la pâte chaude qui l'emprisonnait ; les jumelles Sinouls en salivaient déjà. Les jumelles Orsells, elles, se contentaient de manger sans lever le petit doigt pour aider leur mère, tout en la critiquant avec constance et application :

— C'est la chanson la plus stupide que j'aie jamais

entendue, dit Adèle en regardant droit devant elle par la fenêtre.

— Tu as raison, dit Idèle, les oiseaux ne peuvent pas avoir peur du cadavre de Lysandre, leur intellect est beaucoup trop limité pour faire la distinction entre le vivant et le mort, au moins chez les humains.

Mme Orsells ne dit rien ; aucune baffe, à la grande indignation intérieure d'Armance et Julie, n'aboutit sur les joues de ces demoiselles Orsells ; leur mère continua la chanson jusqu'à sa fin prévisible en soignant la fabrication des pancakes, délicieux comme toujours. Elle avait une grande robe noire, un soulier (l'autre pied était nu) et une grande tresse de cheveux blond pâle qui descendait jusqu'au début de la fente des fesses ; elle avait un long cou, large et rond, des épaules grasses, sur lesquelles sa tête se pavanait avec d'étranges grâces.

Les demoiselles s'en allèrent en quatuor. Mme Orsells les embrassa légèrement l'une après l'autre, une seule fois sur chaque joue, ce qui fait huit baisers :

— Au revoir, madame, dit Armance, nous les ramènerons à six heures, après le goûter, ça va ?

— Appelez-moi Hénade, dit Mme Orsells, ça ira parfaitement.

En descendant l'escalier, on entendit sa voix, un peu plus vive qui chantait : « J'ai vécu trois ans avec elle, un jour ell'me dit brusquement : tu ressembl'à papa-maman, horreur, c'était ma sœur jumelle ! et c'est pour ça... », mais à ce moment, M. Orsells l'interrompit et le reste du couplet se perdit.

Armance et Julie avaient combiné un programme

destiné à leur assurer une supériorité stratégique de tous les instants. Pour commencer, on irait en barque sur le lac ; ensuite, on rentrerait déjeuner : là, Yvette d'une part, et Sinouls de l'autre, sauraient répondre chacun dans leur style à toute offensive dialectique de ces demoiselles ; et enfin, pour l'après-midi, le clou de la campagne, le cinéma : on verrait si, après *la Nuit des morts vivants*, elles auraient des opinions aussi tranchées sur la distinction entre ces deux états de la matière, le vivant et le mort.

Le lac était situé dans une partie un peu excentrique de la Ville et on y accédait par un autobus dont le terminus était situé juste à côté du débarcadère. En arrivant assez tôt le matin, on pouvait louer aisément une barque et, comme l'étendue d'eau était vaste, trouver un endroit tranquille autour de l'île pour lire, rêvasser, se dorer au soleil, s'embrasser, si on était là pour ça ; Armance connaissait bien cet endroit pour l'avoir pratiqué assidûment tout l'été avec différents garçons, à la jalousie immense du père Sinouls. Aussitôt arrivées dans un recoin intensément tranquille qu'elle avait repéré, Armance sortit de son sac le roman de Jane Austen qu'elle était en train de lire, enleva son T-shirt et mit ses petits seins roux à l'air brumeux encore, mais doré et chaud et pas trop violent pour sa peau délicate. Julie en fit autant, mais dans la gamme blonde, et se mit à lire avec passion un livre sur la thermodynamique des flammes qui était sa dernière découverte. Les jumelles se regardèrent (nous parlons des jumelles Orsells bien entendu ; nous savons que c'est un peu difficile quand il y a deux paires de jumelles mais nous n'y pouvons rien, ça s'est passé comme ça !).

— Papa, dit Adèle, dit que les filles deviennent

complètement stupides dès qu'il leur pousse quelque chose là.

— Oui, dit Idèle en écho, il dit que c'est *tits* (elle montra sa poitrine) or *that* (elle montra sa cervelle du doigt) (les jumelles étaient éduquées dans une école bilingue progressiste, elles parlaient anglais entre elles très souvent).

Armance ne réagit pas, elle continua son chapitre de Jane Austen ; les jumelles sentirent qu'il fallait passer une vitesse supérieure :

— Papa dit, dit Idèle, que maman est remarquablement bête.

— Elle croit, dit Adèle prenant le relais et en guise d'explication, que tout procède de l'un, opinion philosophique qui a été totalement réfutée voici des siècles.

Sans rien dire, Julie se leva et donna à la barque une inclinaison particulièrement menaçante. Le message était clair et les demoiselles sentirent qu'il ne fallait pas aller trop loin ; elles commencèrent à lire leurs bandes dessinées préférées : *le Banquet de Platon; Lucky Lucke contre Spinoza; la Chevauchée de la morale;* elles s'interrompaient de temps à autre pour faire un commentaire acide sur leurs camarades de classe ou, indirectement, sur leur mère, ou invoquer une opinion de leur papa, mais en restant dans les bornes de la paix armée qu'avaient instituée les grandes. Le temps passa.

Les canards s'approchèrent de la barque ; c'étaient des canards d'une grande dignité, importés d'Angleterre, de Cambridge exactement, en vertu de la loi récemment votée sur les échanges culturels ; habitués à côtoyer des prix Nobel de physique, à regarder tomber des pommes sur les pelouses des collèges avec Isaac Newton, ou à punter sur la Cam entre les saules pleureurs en discutant les vertus de la théorie des descriptions définies avec lord Bertrand Russell, ils se sentaient un peu affamés intellectuellement, mais ils aimaient Armance et Julie en qui ils retrouvaient quelque chose comme un parfum de leur pays natal. Adèle et Idèle les abreuvèrent de commentaires socratiques et de brioches, et somme toute, la matinée se passa convenablement.

On rentra à la rame vers le débarcadère. Armance et Julie chantaient en ramant :

« Berrichon chon chon, vos nichons chon chon ressemblent à des polochons ! »

Elles firent ainsi le tour de l'île :

« Berrichon chon chon, vos nichons chon chon ressemblent à des cornichons ! »

Il y a comme ça quatorze couplets (pas tous en chon d'ailleurs, on passe insensiblement et artistiquement à des variantes comme chou : « Berrichon chon chon, vos nichons chon chon ont l'élasticité du caoutchouc », ou même cha : « font frissonner tous les pachas ») ; Armance et Julie avaient appris cette belle ballade mélancolique du Bas-Berry dans un disque offert par Yvette, où la complainte est interprétée par la grande chanteuse Maïté Chimelel [1] avec accompagnement de tympanon. Les demoiselles Orsells rougissaient de honte devant cette preuve énorme de mauvais goût.

Au cours du déjeuner (gigot-flageolets et vacherin (glace), principalement), Adèle fit un bref résumé de la *Somme théologique* de saint Thomas, et Idèle une

1. Sur l'autre face se trouve son célèbre *Chant du dictionnaire*, où elle chante un choix de vocables dans l'ordre alphabétique en fredonnant le *Continuum* de Ligeti, ce qui n'est pas une mince affaire.

critique dévastatrice des *Investigations philosophiques* de Wittgenstein. Entre deux bouchées de glace, elle remarqua que l'inspecteur Blognard, selon son père, ne résoudrait jamais l'affaire de la Terreur des Quincailliers car « son approche était trop cartésienne » (c'est ainsi que Sinouls interpréta la phrase en l'écoutant distraitement, car elle avait dit en fait « carthusienne », un anglicisme, et non « cartésienne »). A un autre moment, Idèle indiqua que la philosophie poldève nous étonnerait, son père l'avait prédit. Or, ces deux remarques, juxtaposées dans l'esprit et la mémoire oublieuse de Sinouls ressortirent le lendemain lors de sa grande conversation avec Mme Yvonne et, chose curieuse, Sinouls ne s'attribua pas ces opinions, mais donna comme venant d'Orsells la thèse que l'inspecteur Blognard ne résoudrait pas l'affaire, parce qu'il cherchait une interprétation cartésienne, alors que la solution était évidemment à découvrir du côté de la Poldévie. Ce fut le tout dernier jalon dans la longue chaîne de déductions qui amena, en fait, la fin de l'affaire.

Armance et Julie ramenèrent comme prévu les demoiselles Orsells chez leurs parents et durent écouter la totalité du texte tapé pendant la journée par Mme Orsells, ce dont elles auraient volontiers fait l'économie, mais elles n'avaient pas encore été payées.

Dans ce texte, un des joyaux de la méthode orsellsienne, un préambule annonçait d'abord qu'il s'agissait d'une Révolution dans la Pensée (il était essentiel qu'un texte, pour être accepté par les journaux ou les revues, commence par annoncer une Révolution dans la Pensée ; l'auteur devait également expliquer qu'il était un marginal, occulté par toutes les écoles de pensée, un dissident de l'intelligence, un homme sans appui qui avançait seul vers les vérités les plus vraies et les plus dérangeantes pour les habitudes de nos contemporains) ; et que cette Révolution avait pour principe la *Règle d'or de l'Ontéthique*, que nous avons exposée au chapitre 17 dans les termes mêmes employés par son inventeur. La Règle d'or était expliquée, énoncée et illustrée par de nombreux exemples et, le terrain ainsi déblayé, Orsells entrait dans le vif du sujet : à savoir qu'après des années de recherche, comme un navigateur sur l'océan de la pensée, n'ayant pour guide que la boussole de la Règle, ou comme un explorateur des abîmes intersidéraux de la morale, la Règle étant sa lunette astronomique, il avait (et la référence à Galilée s'imposait là, rappelant les avertissements du préambule) vu ce que personne n'avait jamais encore osé apercevoir : l'Unité Profonde du Savoir Humain autour d'un noyau central et secret qu'il était le seul à pouvoir mettre entre les mains du public avec l'éclairage nécessaire, comme il avait déjà commencé à le faire, quoique partiellement, dans ces ouvrages qu'étaient... (suivait la liste de ses livres disponibles dans le commerce) ; ce noyau central du savoir, très ancien et très secret, il ne le décrivait pas, pas encore, cela ferait l'objet d'une publication ultérieure, mais il pouvait déjà lui donner un nom ; et ce nom était *Ologie* ; au centre du savoir humain, il y avait et il y aurait désormais l'Ologie ; il allait falloir s'habituer à penser *ologiquement*, changer nos habitudes mesquines, secouer nos privilèges de capitalistes du savoir en une nuit du 4 août philosophique, et nous mettre à l'écoute de l'Ologie (c'était la partie lyrique et prophétique du texte ; de lourds nuages s'annonçaient au cas où nous tarderions trop à accomplir cette mutation indispensable). L'ensemble des disciplines scientifiques et autres, les sciences dures comme les molles, devrait évidemment être réarticulé autour du noyau central, et beaucoup d'entre elles devraient changer, c'est-à-dire d'abord changer de nom ; pour certaines cela ne serait pas trop difficile, le terrain étant déjà, pour ainsi dire, préparé : la psychologie deviendrait la *psych-ologie*, le fondement, ologique, de la discipline étant ainsi mis en évidence, extrait de sa gangue vétuste ; la bactériologie serait la *bactéri-ologie*, la géologie serait la *gé-ologie*, cela allait de soi, mais certaines allaient devoir subir des transformations beaucoup plus profondes. La mathématique ne pourrait pas rester en l'état, ni la chimie, ni la physique. Cette dernière, par exemple, serait désormais la *physis-ologie* (pour ne pas la confondre avec la *physi-ologie*, qui est tout autre chose). Ainsi, les choses seraient claires : il y aurait en toute science, d'un côté son *ologie* propre, et, de l'autre côté du trait d'union, à sa gauche, son résidu aologique ou nonologique qui devrait être revu de façon à le mettre au service de l'Ologie : « En toutes choses, disait Orsells, en une de ces formules frappantes dont il avait le secret, l'Ologie doit être mise aux commandes. »

Tel était l'impressionnant travail dicté par le Maître à son épouse, en ce dimanche d'octobre où Armance et Julie allèrent en bateau.

Chapitre 23

Sinouls, madame Yvonne, l'Infini

Mme Yvonne avait une bonne cinquantaine, pondérée, franche, éclatante. Elle n'avait pas toujours été Mme Yvonne, le *Gudule-Bar* n'avait pas toujours été le *Gudule-Bar*, et pourtant, si ces deux entités n'avaient qu'une dizaine d'années, elles en avaient, sous un autre nom, bien une trentaine. Cela s'était fait ainsi : en même temps que sa payse Mme Eusèbe (et Mme Yvonne connaissait parfaitement son vrai prénom, mais elle ne pensait pas que c'était là un secret coupable, et elle n'en aurait jamais parlé), la jeune Yvonne était entrée « en service », elle chez Arsène, « *Au bougnat de Sainte-Gudule*, marchand de charbons et de vins. On sert à domicile ». On pouvait encore voir la vieille enseigne à l'entrée de la nouvelle cave, mais n'anticipons pas.

De même que les dévotes, à la sortie de la messe, se précipitaient vers le péché de gourmandise des puits d'amour de la boulangerie Groichant (c'était le vieux père Groichant, alors, dans ces temps dont nous vous parlons, peu après la guerre), symétriquement et simultanément le *Bougnat de Sainte-Gudule* se remplissait d'hommes qui venaient boire un coup de rouge en mangeant une saucisse, un pâté de tête, une rillette ou un lardon. Il y avait un comptoir pour le patron, Arsène, et une salle arrière avec quelques tables et, entre les deux, une sorte de corde grosse tendue où on accrochait les plus ivres pour les dessoûler : il y avait en fait deux cordes et on les appuyait là ; ils ronflaient, les bras ballants ; puis les mères, épouses, filles, servantes ou maîtresses (souvent plusieurs rôles en même temps) venaient les chercher et les traînaient à la maison. Dans l'arrière-salle et à la corde, Yvonne servit pendant vingt ans ; elle était la maîtresse d'Arsène, elle était vaillante et forte, elle tenait les ivrognes en respect. Arsène, en servant le vin, en trimbalant le charbon, avait soif ; il buvait. Tant et si bien qu'un jour les éléphants roses le rencontrèrent dans la cave, et ils ne le quittèrent pas, jusqu'à ce qu'Yvonne se décide à l'envoyer à l'hôpital.

Il y resta un an (il était au bord de la cirrhose) ; à son retour, maigre dans sa grande blouse, ne buvant plus, il trouva du changement. Yvonne, qu'il avait épousée peu auparavant, avait tout chamboulé : le *Bougnat de Sainte-Gudule* était devenu le *Gudule-Bar*. Pour qu'Arsène ait quelque chose à faire, parce qu'il ne pouvait plus servir le vin, la couleur rouge le faisait tourner de l'œil, elle décida de transformer le commerce à la bière (il n'aimait pas la bière, il n'y avait aucun risque). La cave fut convertie en temple de la bière et sur ce temple régna Arsène. Il y avait trois cent soixante-six espèces de bières différentes, des belges, des anglaises, des andorranes, des japonaises, des américaines en boîte, des yougoslaves, des bières à la cerise, des bières sans alcool, des bières Joseph Conrad avec un fac-similé d'une lettre de recommandation du romancier au fondateur de la brasserie, des bières Docteur Johnson avec la célèbre devise « il n'y a aucune institution au monde qui ait apporté autant de bonheur à l'humanité que le pub », car telle fut l'ambition d'Arsène : faire de son royaume souterrain un pub. Il troqua la blouse noire contre le tweed et se mit même à fumer une pipe de bruyère. Mais en même temps que le *Gudule-Bar*, naissait aussi Mme Yvonne ; elle avait été Yvonne, puis, un peu de temps, pendant les mois d'hôpital, Mme Arsène ; et voilà qu'elle changea définitivement de nom, en devenant la patronne. Arsène, lui, était devenu M. Yvonne. Il en riait beaucoup. Le *Gudule-Bar* faisait aussi tabac et marchand de journaux, Sinouls y était très fréquemment, à la fois pour se ravitailler en bière et pour connaître les événements locaux et internationaux, les uns par la conversation de Mme Yvonne, les autres par l'achat du *Journal*. Il était devenu le dégustateur attitré d'Arsène, M. Yvonne, qui l'appelait affectueusement « consul », il ne savait pas pourquoi, et un des clients préférés de Mme Yvonne, pour des raisons qui ne vont pas tarder à apparaître.

Sinouls, bien qu'installé depuis fort longtemps dans le quartier, n'avait pas fréquenté le *Bougnat*, et c'est seulement la transformation amenée par Mme Yvonne qui l'amena à franchir les portes de cet établissement. Encore débutante et incertaine (elle s'était pas mal endettée pour les transformations), Mme Yvonne s'empressa auprès de ce client qu'elle pressentait d'importance, puisque c'était l'organiste de Sainte-Gudule, ce qui lui donnait, à ses yeux, un grand prestige social. Ce jour-là, Sinouls était accompagné d'un de ses collègues, un organiste amateur, astronome de son métier et, après avoir bu un coup, ils décidèrent d'acheter le *Journal*. Sinouls alla donc au comptoir, les journaux étaient à gauche de la caisse, il prit deux exemplaires du *Journal*, sortit son porte-monnaie et, au moment de payer, dit à Mme Yvonne :

— Deux *Journal*, un pour lui, un pour moi. Mais vous êtes bien sûre, au moins, que c'est le même ? Vous comprenez, nous ne voudrions pas lire des nouvelles différentes.

Mme Yvonne s'efforça de le détromper.

— Mon cher monsieur, tous les exemplaires du *Journal* que je vends ont exactement les mêmes nouvelles, il n'y a pas une ligne de différente, je vous l'assure, laissant entendre, dans sa vertueuse indignation, qu'elle aurait tôt fait de renvoyer aussitôt avec fracas le malheureux qui oserait lui livrer des numéros du *Journal* qui ne seraient pas totalement et strictement identiques comme l'exigeaient ces deux clients.

Sinouls s'inclina gravement et repartit sans rire, très fier de sa petite plaisanterie. Et Mme Yvonne, qui pensa qu'il était peut-être un peu fêlé, ou un peu demeuré peut-être, se prit pour lui d'affection. Elle le protégeait, le servait avant tout le monde, lui donnait son *Journal* en lui disant avec un sourire :

— C'est bien le bon, je vous le garantis.

A quelque temps de là, les astronautes américains descendirent sur la Lune. Tout le monde était devant son poste de télévision, Mme et M. Yvonne comme les autres (le poste était derrière, dans la grande salle, il servait pour les grands matchs) et le matin (on y avait passé une bonne partie de la nuit, à cause du décalage horaire) chacun, devant son crème, ou son noir grand ou petit, ou son calva, accoudé au comptoir, un peu surexcité du manque de sommeil et de l'importance de l'événement (eh oui, à l'époque, les gens avaient trouvé ça un événement important ! Comme le monde change, n'est-ce pas ?) commentait la qualité des images, et l'énormité de la chose ; et une polémique s'engagea entre les consommateurs sur la distance que ça représentait. Ça avait l'air loin, n'est-ce pas, mais combien loin ? Et certains disaient que c'était certainement plus loin que le Baloutchistan, et d'autres que c'était certainement aussi loin que Bécon-les-Bruyères, et Mme Yvonne s'adressa au père Sinouls parce que c'était un homme de chiffres et de savoir, il en fallait pour faire de la musique avec ces grands tuyaux dans Sainte-Gudule. M. Sinouls énonça quelques chiffres, parla du Soleil et des planètes, des antipodes, du rayon terrestre et du méridien, fit des dessins avec un stylo à bille sur une serviette en papier ; tout ça très bien ; mais voilà que dans son discours il se mit à mentionner que la distance qu'on avait là, c'était pas grand-chose à côté de celle des étoiles, et devant les yeux au début sceptiques de Mme Yvonne, il dressa un tableau impressionnant du voyage des photons lumineux dans les infranchissables intervalles entre les étoiles, hors de portée même des plus puissantes fusées de la Nasa ; il parla années-lumière ; il parla Proxima du Centaure, nébuleuse d'Andromède, il jeta un voile pudique sur les paradoxes temporels. Ce fut un véritable space-opéra dans le *Gudule-Bar*.

Et le soir de ce même jour, en se couchant, Mme Yonne se mit à penser aux années-lumière. Elle essaya de se les représenter et elle essaya de penser à toutes ces étoiles qui étaient de plus en plus loin, avec pas grand-chose entre pour poser le pied, et ensuite qu'il y en avait encore plus loin, des milliards et des milliards, avec de pauvres rayons lumineux qui s'essoufflaient à faire le voyage (on sait pas pourquoi) et qui, malgré toute leur vitesse, semblaient ne pas être plus efficaces qu'une mercedes sur l'autoroute du sud un 1er août. Et Mme Yvonne n'arrivait pas à dormir. Elle avait mal à la tête de toutes ces distances et de toutes ces étoiles incommensurablement éloignées, et elle secoua M. Yvonne qui ronflait petitement à son côté :

— Arsène, lui dit-elle, la pensée de ces espaces infinis m'effraye.

Cet épisode, qu'elle n'avait pas oublié, avait encore redoublé le prestige du père Sinouls à ses yeux, et elle le consultait fréquemment lors des nombreuses récréations qu'il s'accordait, assoiffé par sa tâche, au *Gudule-Bar*, sur les grands problèmes de l'heure, pour son propre plaisir et édification, et aussi pour l'éducation de sa clientèle, car tel est le devoir de toute patronne de bistrot qui se respecte et Mme Yvonne était avant tout une patronne de bistrot consciencieuse.

Et c'est pourquoi, le lendemain du dimanche où les filles Sinouls s'étaient occupées des filles Orsells, Mme Yvonne demanda au père Sinouls ce qu'il pensait de l'Affaire.

— Maintenant que c'est l'inspecteur Blognard qui est dans le coup, dit-elle comme chaque lundi matin depuis des mois, le criminel, il a qu'à bien se tenir.

C'est à ce moment que la mémoire de Sinouls, par un de ces courts-circuits dont elle avait le secret, lui présenta simultanément deux pensées qu'il ne reconnut pas d'abord comme étant de provenance indirecte, transmises d'Orsells par l'intermédiaire d'Adèle et Idèle puis d'Armance et Julie, mais qui lui parurent être ses pensées à lui, sorties toutes armées de son cerveau. Et comme, de deux idées simultanées, il est préférable, si on a un esprit tant soit peu équilibré, de faire une plutôt que de les sortir simultanément, ou successivement mais indépendamment, le père Sinouls dit :

— Blognard ne résoudra jamais l'Affaire.

Mme Yvonne fut un peu décontenancée, car le père Sinouls, tout en se montrant ironique à l'égard de la police en général, n'avait jamais jusqu'alors fait preuve d'un scepticisme particulièrement appuyé à l'égard du grand Blognard, dont d'ailleurs (comme il l'avait confié à Yvette) il « se battait l'œil ». Elle le pressa donc de s'expliquer, ce qu'il désirait d'ailleurs faire, la double idée devenue une, qui lui était venue comme ça, brûlant de s'exprimer :

— C'est tout simple, dit-il, Blognard emploie la méthode cartésienne, c'est tout ce qu'il connaît. Or cette affaire, c'est clair, pue la Poldévie à plein nez. C'est du côté de la Poldévie qu'il devrait regarder, sinon il n'arrivera jamais à rien.

Et comme Mme Yvonne le pressait de s'expliquer, pressentant un grand « sujet de conversation » pour la journée, il ajouta à sa grande surprise, car il ne savait pas d'où ça lui venait :

— Oh, je pense ça depuis longtemps. Mais il semble qu'on commence à penser la même chose un peu partout, et pas plus tard qu'hier, ma fille qui baby-sitte pour les Orsells, comme vous savez (Mme Yvonne savait ; elle en savait même beaucoup plus sur les activités d'Armance et Julie que leur propre pauvre père), m'a dit que c'est exactement ce que pensait Orsells, vous savez, Orsells, qui habite au 53, le spécialiste du patafouillis (le père Sinouls dédaignait la philosophie).

Mme Yvonne connaissait le professeur Orsells, évidemment. Il venait peu au *Gudule-Bar*, mais c'était une figure nationalement respectée et elle était obligée de le connaître.

Cette conversation n'a pas en soi une importance capitale, mais il se trouve qu'elle se tint (du verbe « se tenir » ; la conversation se tient, se tenait, se tint ; c'est comme ça qu'on dit ou devrait dire) à un moment où l'inspecteur Arapède, prêt à son « briefing » de la matinée avec Blognard et le Narrateur sur le banc du square (celui du milieu, le dos à la façade de Sainte-Gudule), était venu se ravitailler en Guiness et rapporter à son chef un grand diabolo grenadine. Ce n'est pas d'une manière distraite qu'Arapède écoutait les conversations de bistrot, car il savait que les conversations de bistrot sont à l'origine de la solution de onze pour cent des affaires criminelles. Il connaissait les deux protagonistes qui avaient droit chacun à un chapitre dans son grand livre sur l'Affaire ; aussi écoutait-t-il avec ses deux grandes oreilles (au pavillon haut comme nous pouvons le dire maintenant, ajoutant ce détail à la description d'Arapède) et enregistra-t-il la révélation sinoulsienne sur le lien qu'établissait Orsells entre l'Affaire et la Poldévie. Ce fut un des derniers indices avant la conclusion.

Mme Yvonne et le père Sinouls embrayèrent sur la Poldévie, son histoire, sa géographie, le problème des travailleurs poldèves immigrés. Le père Sinouls sortit tout ce dont il se souvenait, qui provenait surtout de l'article « Poldévie » de la Grande Encyclopédie Rationaliste. Le lecteur voudra bien s'y reporter.

Suite du chapitre 18 (fin)

Le professeur Orsells n'accordait à son employée, Tioutcha, qu'une sortie par jour. Il aurait voulu la confier à ses filles, Adèle et Idèle, qui auraient pu l'instruire philosophiquement en la faisant trotter derrière leurs bicyclettes, mais Mme Orsells, née Hénade Jamblique, avait eu pitié d'elle et Tioutcha était sous la responsabilité de Veronica Boillault. Celle-ci l'emmenait dans le bac à sable où elles jouaient et pissaient toutes les deux en toute tranquillité et sérénité. La fourrure de Tioutcha, en ces journées d'automne, s'harmonisait harmonieusement avec la couleur des feuilles de marronnier qui roussissaient de plus en plus. « Comme la fourrure de Tioutcha s'harmonise harmonieusement avec la rousseur des feuilles automnales de marronniers », pensait Alexandre Vladimirovitch en les regardant jouer dans le bac à sable.

Mais au même moment, sans qu'il s'en doute (l'Amour rend imprudent même les chats), le même spectacle traversait la poitrine de Mme Eusèbe du fer rouge de la jalousie. Mme Eusèbe était horriblement jalouse. Armée d'une paire de jumelles héritées de son défunt père, elle surveilla la fenêtre du professeur Orsells et elle n'eut bientôt aucun doute sur la réalité de la trahison d'Alexandre Vladimirovitch. Elle pleura beaucoup et décida de se venger.

Et c'est ainsi qu'un beau matin, le professeur Orsells reçut une lettre anonyme. L'auteur qui signait « un ami qui vous veut du bien » était, comme le Lecteur perspicace l'a deviné, Mme Eusèbe ! Et pour que l'anonymité en soit plus assurée, elle l'avait écrite à l'encre bleue (au lieu de l'encre violette qu'elle employait le plus souvent) et sans faire une seule faute d'orthographe.

« Votre chatte vous trompe, disait la lettre. Demandez-lui un peu ce qu'elle fait sous votre nez et à votre barbe, pendant qu'elle ronronne à votre service. Ah, la jeunesse actuelle ! Signé : un ami qui vous veut du bien. »

(La suite et fin à la fin du chapitre 26.)

Chapitre 24

Hortense : la désillusion

Ce chapitre, le vingt-quatrième, commence par un coup de théâtre : contrairement aux affirmations et insinuations perfides de l'Auteur (qui les a placées dans une parenthèse du chapitre 2, sans se douter que, grâce à une amie de ma femme, j'aurais accès, au cours de l'impression du livre, aux épreuves parvenant chapitre par chapitre au directeur de la collection, et que j'ai su, avec un sang-froid remarquable, attendre le moment le plus favorable pour la révélation que je vais maintenant vous faire), contrairement à ce que j'ai dit moi-même au chapitre 16 (mais je l'ai fait en toute sincérité, je pensais réellement cela à l'époque, et cet idiot d'Auteur est tombé tête baissée dans le piège que je lui tendais involontairement, ce qui l'a amené, se croyant très malin, à affirmer « que j'avais perdu toutes mes chances avec Hortense » et à cancaner sur mes rapports, très chastes, ou presque, avec la charmante Poldévienne, Magrourska (un vrai petit poney, et des seins délicieux !)), non seulement je n'avais pas cessé de penser à Hortense, mais le succès de ma vie professionnelle me libérant, je m'étais laissé l'aimer ; et je l'aimais ; et qui plus est, je n'étais pas sans connaître quelque chose de sa vie, car ma mère (une coïncidence heureuse) ayant été une grande copine d'Yvette, j'étais reçu chez elle (d'autant plus aisément que nous étions voisins), et Yvette m'avait tout raconté ; et j'étais, comme elle, mais beaucoup plus qu'elle, bien sûr — elle avait tendance à prendre tout ça un peu trop légèrement — inquiet pour Hortense, et impatient de la voir ouvrir les yeux sur la véritable nature de ce cambrioleur dont elle s'était amourachée, dans toute la spontanéité charmante de son jeune âge et de son inexpérience, si occupée qu'elle était par l'étude d'un système aussi complexe et intellectuellement fascinant que celui du grand Orsells. (L'Auteur a bonne mine, vous ne trouvez pas ? Et ce n'est pas fini, attendez la suite !)

Tout ce que je vous raconte ici, je le tiens de source sûre, d'Yvette d'abord, et d'Hortense ensuite elle-même plus tard.

Dans les jours qui suivirent la découverte de la trousse et de son contenu (qu'elle avait faite avec l'aide d'Yvette), Hortense se sentit rassurée et se plongea de nouveau imprudemment dans les délices de sa relation amoureuse. Elle commença par avouer à Morgan sa curiosité (il était parfaitement au courant, Yvette ayant, en ouvrant la trousse, rompu le crin de poney poldève qu'il attachait à la fermeture, afin de vérifier, à chaque absence, que personne n'avait fouillé dans ses affaires : ainsi, il avait su, le soir même, qu'Hortense connaissait sa véritable profession et il était prêt à disparaître si besoin était). Elle lui dit qu'elle ne le blâmait absolument pas, car chacun devait suivre sa pente naturelle, et elle fut encore plus contente quand, l'interrogeant avec adresse et de manière théorique et indirecte pour pouvoir appliquer la Règle d'or de l'Ontéthique d'Orsells, il répondit de la manière la plus satisfaisante, montrant qu'il estimait que tout le monde était parfaitement fondé dans son sentiment à agir ainsi (c'était la vieille hérédité de bandit poldève qui apparaissait, mais elle ne s'en doutait pas) et que si lui, Morgan, trouvait sur son chemin quelqu'un d'assez fort pour le cambrioler, lui, il en rirait (et il démontrait ainsi aux yeux d'Hortense, par application de la Règle d'or, non seulement qu'il était parfaitement justifié dans ses activités, mais qu'en fait, il *devait*, nécessairement et moralement, agir ainsi, dans tout monde possible (y compris dans les mondes où il n'aurait pas été poldève, mais peut-être Hortense ne put-elle pousser le raisonnement jusque-là, puisqu'elle ignorait son origine ; peut-être était-il *nécessairement* poldève, c'est-à-dire poldève dans tous les mondes possibles, y compris ceux où il n'est pas de Poldévie)).

Bref, Hortense fut ravie d'être entre ses bras de cambrioleur, et elle se laissa pénétrer par effraction de toutes les manières imaginables. Ce fut comme l'été indien de leur amour. Ils passaient des après-midi lubriques et délicieux. Ils mangeaient des œufs-spaghettis, ou des pizzas amoureusement réchauffées par Hortense, avec des amandines que Mme Groichant lui faisait parvenir parmi différents en-cas, afin qu'elle ne dépérît point. Vers le soir, Morgan s'en allait à ses cambriolages et revenait dormir au matin. Ça aurait pu durer, Hortense pensait que ça allait durer, mais ça ne devait pas durer. C'était assez dur pour moi, je dois le dire, surtout qu'Yvette qui ne se doutait pas de mes sentiments ne m'épargnait aucun détail et, si je n'avais pas eu l'excitation et la distraction de l'enquête qui approchait de sa conclusion, je crois que je ne l'aurais pas supporté (et qu'est-ce que tu aurais fait, hein, patate ? *Note de l'Auteur*) (il s'énerve ! *Note du Narrateur*) (vous allez pas arrêter ? Qu'est-ce que les lecteurs en ont à foutre de vos histoires ! *Note du directeur de collection, transmise à l'éditeur et approuvée par le comité de lecture, la secrétaire, la maquettiste, l'amant de la secrétaire et le directeur commercial*).

Ça se passa de la manière suivante :

Le temps se maintenait au beau. Les journées, ensoleillées, étaient comme des omelettes norvégiennes autour des nuits froides mais vivifiantes. Cependant, la rentrée universitaire approchait, le temps maussade était annoncé avec de plus en plus de vraisemblance et d'insistance par la météo, et la campagne d'hiver se préparait dans le secret des grands stratèges de la Haute Charcuterie. Ce qui veut dire qu'il n'était plus possible de retarder chez Hortense l'opération essentielle de *rangement des affaires d'été et sortie des affaires d'hiver*, et pour trois raisons :

— Premièrement, après la rentrée universitaire, Hortense devrait suivre des cours. Ils lui prendraient le peu d'énergie dont elle serait capable par suite des ardeurs de Morgan.

— Deuxièmement, dès que le temps se mettrait au vraiment froid et surtout au pluvieux, il ne serait plus possible de porter les affaires d'été et il faudrait passer aux affaires d'hiver. D'ailleurs, plusieurs de ses amies avaient déjà franchi le pas et elle ne pourrait plus différer longtemps l'opération.

— Or, et c'était la troisième et très importante raison, Hortense ne pouvait pas se livrer toute seule à cette transformation de garde-robe, parce que :

Premièrement (c'est le premièrement du troisièmement), elle avait énormément d'affaires d'été comme d'affaires d'hiver, il fallait tout changer de place, réorganiser les tiroirs et les armoires et les penderies ; deuxièmement, Hortense faisait pour cela appel à sa mère qui décidait de ce qui devait disparaître, de ce qui manquait et devait être complété par le sadisme du père d'Hortense ; troisièmement, à cause de la campagne de Noël dans la Haute Charcuterie (choix des variétés de dindes, commande de foies gras, de truffes, ...), le père d'Hortense serait très prochainement très nerveux et aurait besoin de la présence de tous les instants de son épouse qui, en conséquence, ne serait pas disponible pour le *Rangement* et les achats qui lui sont associés.

Pour toutes ces raisons (un, deux, trois-un, trois-deux et trois-trois), Hortense téléphona à sa mère et elles prirent rendez-vous pour le vendredi en début d'après-midi. Hortense mit Morgan dehors et commença à sortir ses affaires d'été.

Quand la mère d'Hortense jeta un coup d'œil sur les affaires d'été de sa fille, elle vit immédiatement ce qui aurait dû apparaître à Hortense elle-même depuis longtemps, si elle n'avait pas été si distraite, naïve, jeune, inexpérimentée et amoureuse : à savoir qu'il en *manquait énormément* ; et il manquait énormément des choses les plus chères, les plus élégantes et les plus rares, ce dont le Lecteur, à moins d'être lui aussi jeune (ou vieux, peu importe), inexpérimenté et amoureux distrait, se doutait depuis le début. La mère d'Hortense pâlit. Toutes les hypothèses les plus folles traversèrent son cœur de mère (sa tête plutôt, mais après un séjour affolant dans son cœur) : drogue, vice secret, avortement, toutes ces choses qui remplissent d'effroi et d'inquiétude les mères modernes, un Homme « aux crochets », … les pires hypothèses passèrent, associées à quelques expressions toutes faites qui font partie du stock. Hortense ne comprit tout d'abord pas les questions indirectes et affolées de sa mère. Puis elle vit où elle voulait en venir, et ses yeux s'ouvrirent. Elle balbutia, rougit, renforça simultanément toutes les hypothèses les plus horribles et les plus contradictoires de sa mère par ses refus de répondre, la renvoya en promettant de tout lui dire, s'assit sur son lit et fondit en larmes.

Elle pleura pendant cinquante-trois minutes. Ensuite, elle s'essuya les yeux, prit un bain très chaud et commença à se mettre en colère (bravo, Hortense ! Voilà ce que j'attendais de toi ! Chère, très chère Hortense. *Note du Narrateur*). Cambrioler les maisons de campagne, les fabriques de soutiens-georges, les bijouteries, parfait, parfait, c'était la vocation de Morgan, son destin, la Règle d'or pratiquement l'y obligeait, elle n'avait rien contre. Mais s'attaquer à ses souliers à elle, lui voler subrepticement, et dans le silence chaud de l'*after-glow* (c'est ainsi que, dans *Autant en emporte le vent*, on désigne ces moments qui suivent l'intensité des transports amoureux, où on reste languide et délicieusement fourbu sur le désordre de sa couche), quelques-unes des paires les plus coûteuses et belles de sa séquence de souliers, c'était trop ! Hortense, d'un seul coup, vit Morgan sous un autre jour, et ce jour ne lui plut point. Elle décida de prendre conseil d'Yvette. Elle lui téléphona et lui annonça sa *Désillusion*.

Yvette agit immédiatement. Il était quinze heures et six minutes. Elle convoqua, pour dix-sept heures, en trois coups de téléphone, un Conseil de Guerre chez le père Sinouls. Y prendraient part : Sinouls, sa femme, ses filles et Balbastre (à cause de sa grande expérience des souffrances d'amour depuis Voltige), Yvette elle-même, et moi, votre Narrateur. Je fus introduit dans cette rencontre décisive parce qu'Yvette (en fait ne se doutant de rien) pensait que je pourrais être utile, s'il se révélait nécessaire de donner une suite à cette affaire-là, vu mes liens avec Blognard. Outre les décisions qui y furent prises, le Conseil de Guerre chez les Sinouls eut pour conséquence le début de l'amitié d'Hortense avec Armance (qui la trouva sympathique, quoiqu'un peu gourde pour son âge), amitié qui plus tard m'a été utile quand Armance est allée faire son stage dans l'édition, chez l'éditeur de l'Auteur.

Sous la direction d'Yvette, le Conseil de Guerre se réunit dont à dix-sept heures dans le salon Sinouls, devant un plat substantiel de petits fours et de puits d'amour Groichant destinés à faciliter la réflexion et à titiller l'imagination. Hortense s'était habillée comme il convenait aux circonstances douloureuses. Elle avait choisi la plus sévère de ses robes d'été, celle qu'elle aurait mise pour un week-end au pays de Galles, par exemple, là où on ne voit pas la mer avant d'avoir les pieds dedans, tant on est aveuglé par le mélange de pluie et de brume ; on reste dans le pub ou dans sa chambre et on mange des scones avec de la crème de Cornouailles. La robe d'Hortense, cependant, essayait de compenser sa sévérité en se montrant généreuse supérieurement et inférieurement ; supérieurement, en découvrant fréquemment une portion réjouissante des seins d'Hortense quand elle se penchait pour enfoncer sa cuiller dans un puits d'amour ; inférieurement, en remontant, comme de son propre mouvement, assez haut au-dessus des genoux dont l'écartement affligé et involontaire me laissait sans souffle et presque sans voix, placé comme je l'étais par rapport à elle.

Yvette commença par expliquer brièvement les raisons de ma présence. Hortense ne me connaissait pas, mais je sentis que l'intensité des regards que j'avais dirigés vers elle depuis l'épicerie Eusèbe pendant plus d'un mois avait laissé quelque trace subliminale en elle, car elle montra à l'évidence en moins d'une seconde qu'elle me tenait pour son admirateur inconditionnel (ce qui était parfaitement exact), et j'eus l'impression qu'en dépit de son malheur, je ne lui étais pas insupportable. J'en fus encore plus décidé à lui venir en aide et à lui permettre de se débarrasser du criminel qui l'avait si honteusement trahie.

Yvette fit ensuite l'historique des événements, souligna le bonheur confiant et innocent d'Hortense, sa grande indulgence au moment de l'ouverture de la trousse de cambriolage, la tragique découverte, enfin, du début de l'après-midi. Et elle conclut :

— Voilà pourquoi nous sommes réunis. Que faire ?

Sinouls proposa de lui casser la gueule, pourvu que nous lui tinssions les pieds et les bras pendant ce temps. Cette suggestion fut rejetée à l'unanimité moins une voix.

On écarta pour le moment le recours à la police. Une intervention de ma part auprès de Blognard, on ne l'envisagerait qu'en dernier ressort.

— Mais dis-nous sincèrement, dit Yvette, es-tu décidée à rompre ?

Hortense était fermement décidée. Elle ne passerait pas une nuit de plus dans les bras du voleur de ses souliers

On discuta.

On mangea.

On but du thé, du chocolat, du coca-cola, de la bière.

On mit au point un plan d'action : pour commencer, Sinouls et le Narrateur (moi) iraient chez Hortense ajouter un verrou à la porte d'entrée, car Morgan disposait évidemment d'un trousseau complet des clés d'Hortense. Ceci fait, Yvette irait coucher chez Hortense dans la chambre d'amis et elles attendraient le retour du criminel, et alors, protégée par la porte et Yvette, Hortense lui dirait :

Chapitre 25

Les premières amours d'Hortense : scène finale

« Inutile d'insister, tu n'entreras pas, Morgan », dirait Hortense fermement à travers la porte, quand son amant déchu reviendrait à l'aube chez elle, après une nuit illégale, croyant trouver le repos auprès de sa tendre chair innocente et trompée.

Ça ne se passa pas exactement ainsi. Yvette et Hortense avaient dîné dans l'appartement, Hortense avait un peu bu pour se consoler, elles regardèrent un vieux Donen à la télé puis se couchèrent. Quand elles se réveillèrent, il faisait jour. Et, glissée sous la porte, une feuille de papier pliée en quatre :

« Je vois que tu sais tout. Rendez-vous à onze heures dans le square, banc du milieu, côté Sainte-Gudule. Morgan. »

— Mais tu es folle, tu ne vas pas y aller, dit Yvette lors du deuxième Conseil de Guerre chez les Sinouls, convoqué en toute hâte pour neuf heures quarante-cinq à la suite des événements imprévus de la nuit.

— Qu'est-ce qui l'empêche de donner tes clés à un de ses complices, et pendant qu'il te tiendra la jambe dans les Grands-Edredons, l'autre déménagera toute ta garde-robe et tous tes souliers ! Tu es folle, il ne faut pas y aller !

Mais Hortense se montrait intraitable. Elle voulait entendre ce qu'il avait à dire. Elle ne l'aimait plus, certes, il l'avait trompée trop honteusement, mais elle ne pouvait lui refuser cette dernière entrevue.

C'était l'impasse. Car Hortense refusa absolument d'être accompagnée par Sinouls ou le Narrateur, pas même par Armance, Julie ou Balbastre.

— Mais, nous dit le Lecteur, excusez-moi de vous interrompre, si mes souvenirs sont exacts, au chapitre 16 d'abord et, plus récemment au chapitre 23 lors de la conversation entre Mme Yvonne et le père Sinouls à laquelle assiste l'inspecteur Arapède, ne nous avez-vous pas dit que ce banc, précisément, est occupé tous les matins, puisque c'est là que l'inspecteur Blognard mène son enquête. Ne serait-il pas possible, ajoute le Lecteur, et excusez-moi de me mêler de la fabrication du roman qui ne me regarde pas, sans doute, mais enfin, je suis un vieux lecteur de romans, j'ai commencé à l'âge de sept ans avec *le Dernier des Mohicans*, et depuis, je suis passé comme nous tous par *la Recherche* et *l'Education sentimentale* et *Pierrot mon ami*, et j'en passe, donc, vous voyez, les romans, c'est un peu comme si je les avais écrits moi-même, et c'est pourquoi je me permets cette suggestion, est-ce que ça ne serait pas un moyen élégant de résoudre le problème de la protection d'Hortense en respectant ses scrupules, Morgan et elle auraient leur conversation sur un autre banc, il y en a deux autres, un de chaque côté si je ne m'abuse, et M. Mornacier serait là tout à fait naturellement et il pourrait non seulement veiller au grain, mais être témoin de l'entrevue et nous la rapporter, c'est le devoir du Narrateur n'est-ce pas ?

Nous avons laissé le Lecteur dire ce qu'il mourait d'envie de dire, sans le bousculer, mais maintenant nous nous contenterons de lui faire observer que la scène du *Rangement des Affaires d'été* qui a été à l'origine du premier Conseil de Guerre et, subséquemment, du second que nous relaterions en ce moment si on nous en laissait le loisir, cette scène donc a eu lieu un vendredi. Bon. Après le vendredi vient le samedi, nous sommes tous d'accord sur ce point ; le samedi, c'est le vikinde ; l'inspecteur Blognard est chez lui ; l'inspecteur Arapède est chez lui ; il n'y a pas de réunion sur le banc du square des Grands-Edredons entre les enquêteurs de l'Affaire de la Terreur des Quincailliers. Voilà ce que nous pouvons répondre à la suggestion, bien intentionnée, du Lecteur.

Cependant le temps pressait, car Hortense devait aller se changer et se préparer pour sa rencontre avec Morgan.

Yvette proposa ce qui suit :

Hortense, donc, irait dans le square, ce n'était pas prudent mais puisqu'elle y tenait absolument. Armance et Julie se tiendraient à la fenêtre du cabinet médical d'Yvette ; on a une vue très nette sur le square ; si quoi que ce soit d'inquiétant se passait, elles téléphoneraient immédiatement au père Sinouls qui serait chez lui avec son épouse et Balbastre, prêt à intervenir. De toute façon, elles devraient téléphoner au moment où, à la fin de l'entrevue, Hortense proposerait à Morgan la restitution de ses affaires (sa trousse de cambrioleur, son rasoir et sa brosse à dents, ainsi que ses chaussettes et son slip de rechange) contre la remise de ses clés.

Et cette substitution s'effectuerait au bas de l'escalier de chez Hortense, dans l'appartement de laquelle seraient Yvette elle-même et le Narrateur, et ils y seraient dès qu'Hortense partirait pour son rendez-vous, afin d'éviter l'éventuel déménagement d'affaires par un complice de Morgan, si l'entrevue demandée était, comme il se pouvait qu'elle le fût, un piège.

Ce plan reçut les suffrages unanimes de l'assemblée, sauf peut-être celui de Balbastre qui n'avait aucune envie de se rendre dans le square et de rencontrer Alexandre Vladimirovitch.

Quand Hortense arriva dans le square, il était déjà là. Son cœur battit plus vite sous sa robe, mais c'était déjà un battement de nostalgie et d'adieu. L'amour avait fui, il ne resterait bientôt plus que le regret, peu à peu transformé en tendresse amusée par la photographie sépia du souvenir. Morgan vit tout de suite qu'il n'y avait rien à faire, et c'est pourquoi nous pouvons maintenant lui restituer son nom et son titre : le prince Gormanskoï, gentleman et cambrioleur, vit tout de suite qu'il n'y avait plus d'espoir, car Hortense *avait mis une robe et des souliers d'automne*. Cet indice ne pouvait tromper un œil aussi exercé que le sien. Un épisode heureux et charmant de sa vie allait prendre fin. De toute façon, ça n'aurait pas pu durer beaucoup plus longtemps, étant donné les événements proches.

La dernière scène des premières amours d'Hortense, qui mit fin à une période décisive de sa vie, n'eut, dans sa première partie du moins, pour témoins, que d'une part Armance et Julie qui voyaient mais n'entendaient rien, d'autre part Alexandre Vladimirovitch, sur le témoignage duquel nous sommes donc obligé de nous appuyer pour notre récit. Or, Alexandre Vladimirovitch, pour les raisons qui lui sont propres, a beaucoup censuré les échanges entre Hortense et son amant princier, et nous devons nous excuser du caractère lacunaire de notre relation.

C'était une belle fin de matinée d'octobre, un brin mélancolique, bien sûr. Le soleil était doux et frais, un peu paresseux, les feuilles du marronnier étaient dans la rougeur de leur livrée automnale, et les marrons d'Inde luisants, couverts d'une fine farine ou poussière duveteuse blanche à la base (cette partie du fruit qui n'est pas acajou comme le reste, mais plus pâle, plus grise), commençaient à sortir de leurs bogues encore juteuses et vertes, comme de jeunes seins d'un corsage, et tombaient sur les crânes des passants avec une précision réjouissante. Octobre, quoi. Un petit nuage blanc vaporeux et léger en forme de nuage pour ange dans la peinture baroque était suspendu au sommet de Sainte-Gudule, comme s'il hésitait encore sur la direction du vent. Le square était désert, le sable arrosé, les habitants étaient partis pour un dernier piknike de beau temps.

Gormanskoï se leva en apercevant Hortense :

— Comment allez-vous, très chère, lui dit-il avec beaucoup de sang-froid et de cérémonie.

Hortense fut un peu décontenancée ; elle avait prévu un Morgan honteux et servile, suppliant et faux, et le vouvoiement hautain la prenait à contre-pied.

— Oh, Morgan, dit-elle, comment as-tu pu ? J'étais prête à tout comprendre, à tout pardonner, mais mes souliers, ce n'est pas possible !

— Je vous dois, en effet, des excuses. Il est vrai, j'ai eu tort, et je ne ferais qu'aggraver mon cas en disant que je n'ai pas pu résister à la tentation. Mais avant que je m'explique, si vous me consentez les quelques minutes nécessaires à cet exercice, permettez-moi de vous dire que mon nom, comme vous vous en doutez, n'est pas Morgan. Je peux vous le révéler si vous me jurez de ne jamais en faire part à un tiers, *quel qu'il soit.* Les intérêts de l'Europe et peut-être même du Monde sont en jeu.

Hortense jura (et tint parole. *Note de l'Auteur*).

— Mon vrai nom, poursuivit le prince, est. . . . . (censuré par Alexandre Vladimirovitch, comme la plus grande partie de la suite). Je suis p. . . . . et p. . . . . Ma mère, une sainte femme, est née en A. . . . . Elle descend directement de la r. . . . . V. Dès mon jeune âge,. . . . . comment laisser ma vieille mère . . . . .bijoux. . . . . .mont-de-piété. . . . . .travail salarié . . . . elle ne. «Jamais un p. . . . . p. . . . . ne travaillera de ses m. . . . . ou dans un b. . . . . tu veux ma m. . . . . et ma h. . . . . », me dit-elle, que pouvais-je faire?. . . . . (nous résumons. Il y en avait cinquante-trois minutes, ce qui fait presque vingt-trois pages dactylographiées, soigneusement effacées aux endroits décisifs par Alexandre Vladimirovitch). Me pardonnerez-vous un jour, Hortense et peut-être, quand j'aurais retrouvé mon

r. . . . . l. . . . ., viendrez-vous, comme mon invitée, à la c. . . . .? Je vous présenterai à ma mère. Je suis sûr que, malgré la différence considérable de r. . . . ., vous aurez beaucoup de choses à vous dire, ma mère est, au fond, une personne très simple. Voilà.

Hortense avait écouté le discours du prince sans l'interrompre, et aux moments les plus pathétiques du récit de celui-ci, elle avait essuyé une larme discrète au coin d'un de ses beaux yeux, le droit, celui que Morgan (car c'était Morgan, pas le prince, qui avait été son amant, et elle se souviendrait toujours de lui sous ce nom) préférait. A la fin, elle lui tendit spontanément la main, et il l'embrassa. Puis ils se dirigèrent ensemble vers l'appartement d'Hortense.

Dès qu'Armance et Julie virent qu'Hortense et son compagnon quittaient le square, elles s'empressèrent de prévenir leur père et surtout Yvette qui attendaient avec une inquiétude croissante (mêlée, dans le cas de Sinouls, de faim, car il était déjà presque midi).

La maison où habitait Hortense n'était pas accessible en poussant simplement la porte, comme celle des Sinouls. La porte de chacun des escaliers qui s'ouvrait sur le porche ou sur la cour était fermée jour et nuit. Chaque propriétaire (il n'y avait que des propriétaires) d'appartement avait sa clé et, pour les visiteurs, il y avait un système d'ouverture commandé électriquement et un interphone. Yvette avait prévu que la scène de l'échange (clés contre mallette) se passerait devant l'interphone, ce qui lui permettrait d'entendre la conversation et d'intervenir avec l'aide de Georges

(Georges, c'est moi. *Note du Narrateur*), si le besoin s'en faisait sentir.

Un bruit de pas se fit entendre.

Gormanskoï (pour nous, mais pour Yvette et Georges qui écoutent à l'interphone, la voix est celle de Morgan) : Voilà.

Hortense : Voilà.

Gormanskoï : Nous voici venus au bout de notre aventure. Elle fut belle.

Hortense, avec un frémissement d'émotion : p. . . . . (là ce n'est pas Alexandre Vladimirovitch qui est responsable de la disparition du titre par lequel Hortense désigna son interlocuteur mais, conformément à sa promesse, Hortense elle-même, plaçant sa main devant l'interphone à ce moment). Dans un mois dans un an comment souffrirons-nous s. . . . . que tant de montagnes me séparent de vous. (Stupéfaction d'Yvette et de Georges.)

Gormanskoï : Allons, petite Hortense, dans un mois vous n'y penserez plus.

Hortense, se ressaisissant : Oh, Morgan, comment as-tu pu, pour mes souliers ?

Gormanskoï, cérémonieux : Ce fut une erreur, je le concède, je vous réitère mes excuses. Je ne pouvais pas prévoir l'importance qu'ils revêtaient, si j'ose m'exprimer ainsi, pour vous. Malheureusement, ils ne sont plus en ma possession, vous savez ce que c'est, l'encombrement, il faut faire vite, écouler quand l'occasion s'en présente. Je vais vous faire livrer, en compensation, six presse-purée premier choix et une machine IBM à traitement de textes, un vrai bijou, avec les derniers perfectionnements.

(Ici une discussion technique sur les différents modèles qu'il n'est pas indispensable de reproduire.)

Hortense : Merci. Voilà vos affaires.

Gormanskoï, après un silence : Tout y est.

Hortense, sèchement : Bien sûr, tout y est !

Gormanskoï : Voilà les clés et les quatre doubles que j'avais fait faire. Eh bien, il faut nous quitter maintenant.

Hortense, de nouveau attendrie : Il faut nous quitter maintenant. Oh, Morgan, comme c'était bon quand tu. . . . . (ici Hortense, de nouveau, couvrit l'interphone de sa main).

Gormanskoï : Adieu, Hortense, adieu.

Hortense : Adieu, Morgan, adieu.

Bruit de pas qui s'éloignent. Fin de la scène finale des premières amours d'Hortense.

Chapitre 26

L'inauguration

L'inauguration de la rue de l'Abbé-Migne eut lieu, comme prévu, le 14 octobre, deuxième dimanche du mois. Mgr Fustiger, qui avait une confiance aveugle et absolue en la Providence, du moins en ce qui concerne le plan général de conduite des événements mais était moins certain de la manière dont elle agissait dans la vie de tous les jours, avait eu des semaines difficiles, car jusqu'au mercredi, il était resté sans nouvelles du jeune prince Gormanskoï dont l'absence, si on devait s'y résigner, enlèverait beaucoup de valeur à la cérémonie. Le père Domernas, poussé dans ses retranchements, était allé jusqu'à adresser la parole à une de ses trois dévotes ; malheureusement, c'était une fausse, jeune et ardente, qui en profita pour lui faire des offres d'une telle précision qu'il s'enfuit dans une confusion extrême.

Enfin, le mercredi, le miracle eut lieu. Le père Domernas informa Mgr Fustiger que quelqu'un désirait le rencontrer de la part « de qui vous savez ». Rendez-vous fut pris dans le square des Grands-Edredons ; Mgr Fustiger devrait être en civil, assis sur un banc, avec un exemplaire du *Times* du jour (ce ne fut pas une mince affaire que de se procurer un *Times* du *jour*) ; il attendrait qu'on lui fasse signe. L'envoyé du prince Gormanskoï emploierait un mot de passe, une phrase plus exactement, qui serait : *le soleil se lève à l'ouest, le dimanche.*

Mgr Fustiger ne fut pas peu surpris du personnage qui prit ainsi contact avec lui au début de l'après-midi du mercredi. C'était un homme très vieux, qui avait l'air presque centenaire (nul ne savait son âge exactement), qui marchait cassé et voûté, la tête de côté et rentrée dans les épaules, et le dos presque bossu de son poids, mais là n'était pas la bizarrerie de l'individu : il était habillé comme un muscadin du Directoire, portant sur la tête un tricorne et tenant à la main une canne à pommeau d'or qu'il tournait sans cesse dans sa paume. Son allure générale et les regards qu'il jetait autour de lui le faisaient ressembler étonnamment à ces portraits de vieux scélérat libertin qui ornent les éditions anciennes de Restif de la Bretonne, Crébillon fils, ou ces romans anglais du dix-huitième siècle où des matrones louches offrent d'innocentes fillettes à un *old rake* qui les regarde avec une concupiscence ignoble.

Mgr Fustiger eut d'abord un mouvement de recul, mais il se ressaisit aussitôt. Le message était simple : le prince Gormanskoï serait présent à la cérémonie, mais pendant la cérémonie elle-même seulement. Il serait entièrement dissimulé sous une cape noire et ne montrerait, pendant un instant, que la partie de son anatomie portant la marque de fabrique des Princes Poldèves. Le prince présent, ou son envoyé, la reconnaîtrait immédiatement ; cela valait toutes les pièces d'identité. Il ne resterait pas une minute après la cérémonie, et on ne devait faire aucune recherche à son sujet, avant un an et un jour. Passé ce délai, s'il n'était pas apparu à la cour, on pourrait s'enquérir de son existence, toutefois il était peu probable que cela se révélât nécessaire. Le prince Gormanskoï ne demandait que la parole de Mgr Fustiger, en qui il avait toute confiance, ses conditions n'étaient pas négociables. Mgr Fustiger n'hésita guère.

Le vieux muscadin chargé de mission était un personnage très connu dans le quartier de Sainte-Gudule où il avait toujours vécu, de mémoire d'habitant : il occupait une mansarde de la rue Vieille-des-Archives, où nul n'entrait, et dont il sortait une fois par jour, à la tombée de la nuit, pour une promenade dont le trajet était toujours le même. On ne savait comment il s'appelait, ni comment il se nourrissait. Il allait sur le trottoir, la tête inclinée et grimaçante, à petits pas, avec son teint cireux de vieux débauché d'Ancien Régime, comme au sortir d'une frénétique orgie, marmonnant des paroles inintelligibles tout en faisant voltiger sa canne au pommeau d'or.

Plusieurs hypothèses principales avaient cours dans le quartier sur son identité et l'origine de son accoutrement ; selon Mme Eusèbe, soutenue en cela par Mme Yvonne, il avait été autrefois employé d'une maison de vins, les vins du Cocher ; à un moment donné, les vins du Cocher, dans une campagne publicitaire qui avait eu un certain succès, trente ans auparavant, avaient fait circuler dans le quartier une diligence vantant leurs produits, avec un vrai cheval et un vrai cocher ; ce cocher aurait été lui, qui, une fois à la retraite et ne s'y résignant pas, aurait conservé la tenue qui avait été la sienne du temps de sa splendeur, où tous les enfants du quartier l'accompagnaient dans son circuit, toujours le même, en l'applaudissant. Une autre hypothèse, moins terre à terre, était défendue par Mme Groichant qui la tenait de sa mère, et qui avait reçu l'appui important de Mme Boillault : selon elles, il aurait reçu, avec sa mansarde, des sommes très importantes en héritage d'un sien cousin anglais qui était allé faire fortune en Poldévie, mais il y avait une condition, qui était précisément que, tous les jours jusqu'à sa mort, il devrait faire la tournée qu'on lui voyait faire avec les habits qui étaient précisément les siens.

Nous ne trancherons pas.

Pour survoler ce grand dimanche du roman, nous commencerons chez les Sinouls :

Le père Sinouls se réveilla très tôt, après une nuit de rêves très intenses et assez cochons, selon sa propre expression. Il prit un long bain chaud tout en chantant à tue-tête : « Quand l'aurore discrète/ rougit dans un ciel pur/ la nature est en fête/ tout chante dans l'azur », un de ses grands succès.

Puis il prit un grand pot de café noir en compagnie de Balbastre.

Ensuite, il se promena à poil dans sa maison en cherchant les diverses composantes de son costume de cérémonie, dissimulées par des mains malveillantes. Il n'avait pas porté son costume depuis deux ans, et il découvrit qu'il n'arrivait pas à boucler la ceinture de son pantalon ; il dut avoir recours à l'aide conjuguée de ses deux filles :

— Rentre ton bide, gros père, lui disait Armance.

Il finit par renoncer partiellement, laissant le dernier bouton détaché et se fiant à la ceinture.

Il y avait trois temps de prévus pour les cérémonies.

A dix heures, ce fut la messe. Le sermon de Mgr Fustiger fut grave, éloquent, fleuri ; il retraça l'histoire de la Poldévie et de ses Princes, insistant particulièrement sur les branches qui avaient vu la lumière de la conversion s'allumer sur elles et cette lumière, ajouta-t-il dans une audacieuse transition, est celle de la torche dont la flamme brûle sur les champs pétrolifères de Poldévie, apportant non seulement le bien-être matériel et financier mais, bien plus décisivement, le bien-être spirituel aux populations rudes et courageuses, car le pétrole, né dans les régions stygieuses et paludiques du passé de la Terre, dans les régions qui sont celles du Royaume d'en dessous, par la volonté de la Providence, peut devenir chose spirituelle à la flamme pure, morale et chaude, prête à transfigurer le paysage éthique de cette vaillante nation ; et combien heureux sommes-nous d'avoir pu, ici, à Sainte-Gudule, concourir à la sauvegarde de la précieuse chapelle dédiée par notre frère Mounezergues, autrefois, à la mémoire de l'infortuné prince Luigi Voudzoï que Dieu rappela à lui prématurément et à cheval, comme vous le savez tous. Tout à l'heure, ajouta Mgr Fustiger en terminant, nous associerons en un hommage commun le malheureux prince à l'un des meilleurs serviteurs de la parole divine, l'abbé Migne, l'auteur de la *Patrologie*, qui aura enfin dans notre Ville la rue qu'il méritait, la seule d'ailleurs qui pût lui convenir comme il apparaîtra bientôt.

Ce fut alors l'exécution, par le père Sinouls, des trente-six variations de Telemann sur le thème populaire poldévien : « Berrichon chon chon ». La musique, suave et émouvante, subtile et simple à la fois, emplit l'espace gudulien où se pressaient en une affluence inhabituelle la quasi-totalité des habitants du quartier, ainsi que de nombreux fidèles et officiels, accourus de partout. Il y avait là :

— M. et Mme Groichant, accompagnés des neuf petits Groichant, tenant chacun à la main un croissant au chocolat,

— M. et Mme Yvonne,

— Mme et M. Boillault, accompagnés de Veronica,

— Eusèbe, Mme Eusèbe et Alexandre Vladimirovitch,

— Mme et M. Lalamou-Bêlin,

— Mme veuve Anylline, teinturière rue des Grands-Edredons,

— M. Anderthal, l'antiquaire,

— Yvette,

— Hortense, accompagnée de M. Georges Mornacier, Narrateur,

— M. Jacques Roubaud, Auteur,

— la famille Orsells : M. Orsells, Mme Orsells, née Hénade Jamblique, Adèle et Idèle Orsells,

— Sir Whiffle, écrivain porcin,

— Mlle Muche,

— M. Soquoné Vacuhomme,

— Mme Croche, la concierge du 53,

— l'inspecteur Blognard et madame,

— l'inspecteur Arapède et sa mère,

— une fausse dévote,

et bien d'autres, et bien d'autres.

Au début de l'après-midi commença la Grande Course Rituelle des Escargots. En Poldévie, tout le monde assiste aux grandes courses d'escargots, particulièrement aux courses rituelles de la cérémonie de succession, mais ici, le spectacle avait été réservé aux enfants. Les efforts conjugués des Groichant, des Eusèbe et des Yvonne, avaient permis l'organisation d'un gigantesque goûter avec glaces, jus de fruits et gâteaux. Le goûter eut lieu à la fin de la course, quand le nom des trois escargots appelés à monter sur le podium fut connu, portés chacun par celui ou celle qui avait été leur entraîneur au cours de l'épreuve. La course se déroulait sur une grande toile cirée, peinte en blanc, déroulée au pied de Sainte-Gudule et, pour que tous puissent suivre les péripéties palpitantes (car tous les escargots engagés étaient des champions), l'image de la course, prise et amplifiée par des caméras, était projetée sur un écran dans le square où les concurrents apparaissaient énormes et où l'on pouvait suivre, minute par minute, les rictus de leurs efforts colossaux. Le champion en titre était un gros bourgogne prétentieux, assisté de nombreux *gregarii* qui se pressaient autour de lui, lui apportant des feuilles de salade et des brins de fenouil dans les cols (on avait, par un système de briques astucieusement placées, disposé des cols sur le parcours et d'autres obstacles, notamment une rivière qu'il fallait traverser sur des brindilles). Mais le héros du public était un jeune petit-gris presque inconnu, venu du potager de la Chapelle Poldève, plein d'audace, de fantaisie et de furia poldève ; c'était lui qui avait pour entraîneur Veronica Boillault et enfin, aux applaudissements de l'assistance, malgré d'évidentes poussettes prodiguées à son rival, le champion en titre, au mépris du fair-play et des règlements, il franchit le premier la ligne d'arrivée et vint recevoir son prix, une tomate jaune, dans les bras de Veronica qui l'embrassa sur son tendre museau, devant les caméras de télévision.

Et ce fut, enfin, l'inauguration proprement dite :

Sur l'estrade prirent place, autour de Mgr Fustiger, les représentants des corps constitués, en voie de constitution ou de déconstitution, les autorités, quoi ; le représentant des Princes Poldèves, le comte de Monte-Cridzoï, le père Domernas et le père Sinouls, un peu en retrait ; et une mystérieuse figure, vêtue de noir, d'une cagoule noire qui dissimulait complètement ses traits. Tout le monde avait les yeux rivés sur cette apparition étrange ; les mauvais plaisants faisaient courir le bruit qu'il s'agissait d'une strip-teaseuse, bref, la curiosité était unanime.

Le soir tombait. Le soleil s'attardait encore sur Sainte-Gudule : il ne voulait pas manquer le dénouement. La circulation s'était faite lointaine et affaiblie. Une sorte de silence s'établissait, composé de solennité et de soir.

Mgr Fustiger s'avança : il fit un geste et le représentant des Princes Poldèves avança d'un pas, en même temps que la mystérieuse apparition en cagoule noire. Tous retinrent leur souffle. D'un geste vif, Mgr Fustiger souleva le bas de l'ample houppelande qui cachait les traits de l'inconnu(e). La fesse gauche apparut, et sur la fesse gauche (indiscutablement masculine), il y avait la marque de fabrique de tous les Princes Poldèves, un escargot ! Un frémissement parcourut la foule. Alors l'envoyé des Princes Poldèves parla :

— Prince Gormanskoï, nous te saluons, Premier Prince de Poldévie, nous te saluons ! Défenseur de l'escargot sacré, nous te saluons, protecteur de nos montagnes, nous te saluons, puisses-tu dévaliser mille diligences, nous te saluons, puisses-tu séduire mille et trois belles Poldèves, nous te saluons !

Le sextuple salut (en poldève, mais traduit à mesure par Mgr Fustiger lui-même) retentit dans le square. Une immense ovation salua le nouveau Premier Prince Poldève, le prince Gormanskoï.

— On veut voir, on veut voir, criait la foule, surtout féminine.

Mais la cagoule restait obstinément en place. D'un geste, Mgr Fustiger ramena le calme ; il expliqua que les raisons les plus impérieuses de sécurité obligeaient le prince Gormanskoï à conserver son incognito, mais il ne durerait pas plus d'un an, et on pourrait alors lui rendre visite en Poldévie. Il y eut quelques sifflets mais finalement on se résigna.

Hortense, par un effort immense de volonté, était restée impassible, fidèle à sa promesse, et ne voulant pas trahir, par une réaction violente à ce spectacle troublant, qu'elle voyait pour la dernière fois, l'équation dangereuse : Morgan égale Gormanskoï, mais elle devint toute pâle, et le Narrateur, qui était assis près d'elle, lui offrit de la raccompagner, ce qu'elle accepta volontiers.

Cependant, on avait apporté sur la scène 366 petites caisses en carton qu'on avait empilées en forme de pyramide à base hexagonale à la droite de Mgr Fustiger. Et celui-ci alors reprit la parole pour la surprise de la journée :

— Mes chers amis, dit-il, vous n'ignorez pas qu'aujourd'hui nous honorons en même temps que la Poldévie la mémoire d'un grand homme, l'abbé Migne, auteur de la *Patrologie*, cet ouvrage magnifique où, en 366 volumes, se trouvent recueillies toutes les œuvres des Pères de l'Eglise. Or, et c'est là la raison de notre présence, la rue qui porte maintenant son nom est la seule dont la longueur est exactement celle qui est nécessaire pour qu'une vitrine que vous voyez ici, sur le mur, à ma gauche (se reporter au plan de la page 71), puisse accueillir une *collection complète reliée de la Patrologie* ! Et c'est ce qui va être fait maintenant. Ces boîtes (il montrait la pyramide des boîtes) contiennent chacune un volume de l'édition originale rarissime de la *Patrologie, reliée or massif* grâce à la générosité des Princes Poldèves, qu'ils en soient remerciés. Je vais maintenant, continua Mgr Fustiger, ouvrir une à une ces boîtes, en sortir chaque volume qui sera placé dans la vitrine.

Et, joignant le geste à la parole, il ouvrit la boîte située au sommet de la pyramide et numérotée 1, en chiffres romains, arabes et poldèves.

Mgr Fustiger ouvrit la boîte et son visage refléta une intense stupéfaction. Sa main parut en l'air et

elle tenait une brique !

Frénétiquement, il se mit à ouvrir une à une toutes les boîtes, aidé par l'envoyé des Princes Poldèves, les corps constitués, constituants et déconstitués, et il fallut se rendre bientôt à l'évidence : chacune des 366 boîtes contenait une brique.

On avait volé la Patrologie !

Le prince Gormanskoï s'était éclipsé.

Suite du chapitre 23 (fin)

Tout à leur passion, Tioutcha et Alexandre Vladimirovitch étaient devenus imprudents. Dès que le ronflement philosophique d'Orsells se faisait entendre Alexandre Vladimirovitch entrait dans la pièce, sautait souplement sur le bureau et s'abandon-

nait avec délices à la joie d'un long patte à patte avec Tioutcha : leurs museaux se frottaient, leurs moustaches s'entouinaient, leurs fourrures s'électrisaient l'une l'autre ; leurs âmes ronronnaient au même pas.

Orsells agit immédiatement et franchement, guidé par la Règle d'or de l'Ontéthique : il alla au BHV acheter un synthétiseur de ronflement, et un magnétophone miniature qu'il plaça dans le revers de sa robe de chambre de soie mauve. Il brancha le tout et attendit.

Tioutcha ronronna, Alexandre Vladimirovitch vint et aima. La bande son de ronflements philosophique se tut. Alexandre Vladimirovitch et Tioutcha cessèrent leur patte à patte.

Le professeur Orsells attendit qu'Alexandre Vladimirovitch ait disparu (il avait très peur de ses griffes) pour démasquer la pauvre petite Tioutcha qui ne se doutait de rien. Puis il fit entrer sa femme et ses filles, brancha le magnétophone espion, croisa les bras et regarda Tioutcha dans un silence terrible. Tioutcha tremblait de toutes ses pattes.

— Vous êtes une gourgandine, mademoiselle, dit Orsells. Considérez-vous comme renvoyée !

Et le lendemain à l'aube, réconfortée en cachette par une soucoupe de lait de Mme Orsells, son petit baluchon sur l'épaule, Tioutcha traversait en frissonnant le square désert des Grands-Edredons, où une brise prémonitoire de l'automne faisait bouger les feuilles du marronnier devant la Chapelle Poldève. Où allait-elle aller, seule dans le vaste monde, qu'allait-elle devenir ?

Qu'en pensez-vous ?

Chapitre 27

L'arrestation

Le lendemain, lundi 14 octobre, il pleuvait. Dès dix heures, l'inspecteur Blognard fut chargé de l'Affaire de la *Patrologie* (à laquelle était jointe l'affaire de la deuxième disparition du prince Gormanskoï, vraisemblablement liée). Le grand Patron se montra très clair :

— Cette affaire, Blognard, est grave, très grave. Il paraît que le Saint-Père a appelé le Président lui-même sur la ligne pourpre. La marine suisse a rappelé ses réservistes. La Poldévie est mécontente, très mécontente, notre traité d'amitié pétrolière est dans la balance. Si on pense qu'il y avait dans chaque volume six fois vingt-six onces d'or, neuf émeraudes, onze rubis, quatorze diamants de dix-huit carats chacun, ça fait une jolie somme ! Il faut faire vite, sinon, je saute, et si je saute, mon cher Blognard, vous sautez avec moi !

Il importait donc de résoudre l'affaire de la Terreur des Quincailliers encore plus vite. Blognard mit les bouchées doubles, il se concentra encore plus intensément si possible, doubla sa consommation de réglisse, et enfin, le jeudi 18, ça y était.

L'inspecteur nous reçut, Arapède et moi, sur son

banc, mais il n'était pas en clochard comme les autres jours. Il avait mis son *costume d'arrestation*, et je compris que le dénouement était pour le jour même.

— Dans toute cette affaire, dit Blognard, j'ai dû, à chaque instant, aller contre toutes les évidences de ma carrière, bouleverser les procédures les mieux établies. Pour la première fois, quelqu'un a trouvé avant moi une piste (et il me désigna d'un geste de la main), et, sans vouloir rabaisser vos efforts et diminuer votre talent, je peux vous dire simplement : « Ce n'est pas normal. » Je vous dis cela, non pour excuser mes faiblesses, non par vanité blessée, mais parce que c'est seulement quand j'ai accepté le caractère exceptionnel du mystère que j'ai pu m'approcher de sa solution. Et ce n'est pas tout. Dans ce roman où nous sommes, qui est un roman policier, puisqu'il y a un détective, deux même, un Narrateur qui suit l'enquête, un criminel et des crimes, n'est-il pas paradoxal *qu'il n'y ait aucun meurtre* ? Pas la moindre goutte de sang versé ? En vérité, je vous le dis, l'atmosphère de cette affaire a quelque chose d'étrange, d'insolite, je dirai même d'*étranger*.

« Ce préambule nécessaire étant posé, passons au mystère lui-même. Puisque je ne pouvais pas le résoudre suivant les voies ordinaires, je suis parti dans une direction extra-ordinaire. Au lieu de bâtir ma maison de bas en haut, des fondations au rez-de-chaussée, du rez-de-chaussée au premier, et ainsi de suite, j'ai commencé, en quelque sorte, au milieu, suspendu en l'air. Mais rassurez-vous, j'ai rapidement touché terre.

« Que doit nous donner la *Solution*, pour être acceptable ? Elle doit répondre aux questions suivantes :

— Qui est la Terreur des Quincailliers ?

— Pourquoi attaque-t-il les quincailliers et pas les cheminots ou les apothicaires ?

— Etait-il en mesure de se livrer aux attentats ?

— Enfin, et pas moins important, ce *qui* est-il le seul à remplir les trois conditions précédentes ?

C'est ce que j'appellerai la contre-épreuve de la solution.

— Mais, dit Arapède, s'il y a plusieurs possibles, comment choisir ?

— S'il y a plusieurs possibles, Arapède, il y a un possible meilleur que tous les autres, sinon, il n'y a pas de coupable disponible ! Reprenons tout depuis le début.

— Pitié, patron, dit Arapède, pensez aux lecteurs. Si vous voulez reprendre tout depuis le début il vous faut raconter ce qui l'a déjà été et *en plus long*, puisque, pour chaque événement du récit, il sera nécessaire d'ajouter un commentaire de taille suffisante pour éclairer sa position dans la totalité qu'est l'enquête. Il n'y a pas un romancier au monde qui acceptera de prendre un risque pareil, et je ne suis même pas sûr que vous pourriez vous arrêter là, et que vous ne seriez pas obligé, en arrivant au point où nous sommes actuellement pour la seconde fois, de repartir en arrière pour expliquer en quoi l'exposé de l'explication des événements coïncide à chaque moment avec les événements eux-mêmes, et le roman qui aurait, à votre premier retour au point où nous en sommes, atteint une dimension triple de sa dimension initiale en serait, au deuxième retour, à sept fois sa longueur prévue, et je dois dire, pour être tout à fait scrupuleux, qu'il ne me paraît pas qu'on pourrait s'arrêter là et comme, je le crains, la série géométrique de raison plus grande que 1 n'est pas convergente, *le roman ne pourrait pas finir* et, ce qui est plus grave encore, puisque le criminel doit être arrêté *après* le point où nous en sommes — je ne pense pas qu'il l'ait déjà été, corrigez-moi si je me trompe —, cela veut dire que le *criminel échapperait à l'arrestation* ! Vous ne pouvez, patron, envisager une telle fin à notre enquête ! C'est pourquoi, je vous en conjure, ne reprenez pas tout depuis le début, mais résumez, patron, résumez !

Blognard resta silencieux un moment, cherchant machinalement dans sa poche une réglisse, mais il n'y en avait pas, Mme Blognard lui interdisant les réglisses quand il portait son costume d'arrestation, afin qu'il ne le salît point *avant*. Il sembla considérer l'argumentation d'Arapède, la suivre dans son cheminement et elle dut lui paraître, à première vue au moins, irréfutable car, poussant un soupir, il nous dit :

— Bien, je résume.

Je partirai donc du moment où, grâce à nos efforts conjugués, nous avons traqué le criminel jusque dans sa tanière, le 53 de la rue des Citoyens, c'est-à-dire ici (et il montra l'immeuble). Dans un premier temps, grâce à l'interrogatoire que j'ai pu mener de Veronica Boillault, nous avons réduit la localisation possible du criminel à dix appartements, qui d'ailleurs sont rapidement tombés à huit, l'un des appartements étant vide et un autre occupé par une demoiselle Muche, vieillarde pratiquement impotente et geignarde par-dessus le marché. Attention ! Il ne s'agissait pas alors encore, contrairement à ce que vous avez pensé et que je vous ai laissé penser pour ne pas compliquer les choses, de *suspects* : un suspect doit avoir un mobile et nous n'en étions pas aux mobiles ! Non, il s'agissait seulement d'entités non impossibles. Et voilà que la grande tempête d'équinoxe a réduit d'un seul coup le nombre de ces entités (je les identifie par appartements, ce qui fait en fait plus de trois personnes) à trois.

— Comment, criâmes-nous ensemble, Arapède et moi.

— Trois, dit fermement Blognard, et je le prouve !

Ses sourcils sombres se rapprochèrent violemment et une flamme d'énergie farouche apparut dans son regard. Le criminel, j'en suis sûr, dut à ce moment être traversé d'un poignard de terreur.

— Prenez votre plan du chapitre 7.

Nous le prîmes.

— Au pied du 53, un peu à gauche de la sortie de l'escalier D en allant vers l'escalier C, il y a six petites croix, vous voyez ?

Nous vîmes.

— Le matin qui suivit la grande tempête d'équinoxe, comme chaque matin avant de m'asseoir sur ce banc, que vous pouvez voir sur le plan également, « banc de l'inspecteur Blognard », c'est pas mal, hein, c'est le père Sinouls qui me l'a dessiné, ça m'a beaucoup aidé dans mon enquête, chaque matin donc, je faisais un tour de l'immeuble, côté square, essayant de me faire une idée intuitive de l'endroit où, derrière ses volets fermés, l'âme du criminel tentait de trouver le repos (c'est un animal nocturne, je le sais). Ce matin-là, il y avait au pied de l'immeuble, là où on a mis six petites croix dans le plan, des débris de terre cuite. *Ces débris étaient ceux d'une statuette poldève !*

— Ils ne pouvaient venir que de la fenêtre de l'appartement du criminel, dîmes-nous, Arapède et moi-même, simultanément.

— Vous avez raison.

— Mais en quoi fûtes-vous plus avancé? dit Arapède.

— Tout simplement en ceci qu'ils ne pouvaient en aucun cas être tombés de la fenêtre d'un appartement de l'escalier *gauche*, dit l'inspecteur triomphalement, à moins de leur supposer des ailes!

Nous digérâmes en silence ce raisonnement imparable.

— Mais alors, dis-je, il restait quand même cinq possibles, je veux dire quatre (j'avais failli oublier Mlle Muche).

— Non, dit Blognard. Arapède?

— Oui, patron, trois seulement en effet, car la fenêtre du rez-de-chaussée est trop basse pour que la statuette se brise en cinquante-trois morceaux. A mon grand regret, il faut, en effet, éliminer M. Anderthal, l'antiquaire.

— Tu l'avais dans ton collimateur, hein?

— Oui, et je vous dirai pourquoi plus tard.

— Il restait donc trois possibles, reprit Blognard, et je ne vais pas vous dire lequel est le bon maintenant. Il faut d'abord en éliminer encore un. Car il ne faut pas oublier que la statuette, une copie médiocre d'un des modèles de la célèbre Vénus poldève, la Vénus à l'Escargot, montre très clairement que le criminel a un lien avec la Poldévie. *La Poldévie est au centre de l'Affaire.* Or, des trois appartements restants, deux seulement contiennent quelqu'un ayant un lien étroit avec la Poldévie. On peut sans hésitation rayer Mme et M. Yvonne.

— Tant mieux, dîmes-nous.

Et Arapède ajouta :

— *And then they were two*, et maintenant, ils ne sont plus que deux, j'espère que ça ne sera pas comme dans la chanson : *and then they were none!* (et il n'en resta aucun). Au fond, ajouta Arapède, le détective est comme un criminel qui tue à répétition, il élimine les suspects les uns après les autres.

Cette idée parut le réjouir beaucoup.

— Eh oui, reprit l'inspecteur Blognard, avant même de me poser la question du mobile, je savais qu'il n'y avait que deux suspects envisageables : le professeur Orsells et M. Soquoné Vacuhomme !

Nous restâmes un moment à considérer l'énormité de ces paroles.

— Chacun d'eux se transforma immédiatement en suspect, car chacun d'eux est sans alibi. M. Vacuhomme vit seul et est toujours en déplacement. Le professeur Orsells travaille la nuit, son bureau fermé à clé, et il a la possibilité de sortir de son appartement sans être vu de sa femme, de ses filles, sinon de sa chatte. Les deux sont allés en Poldévie ; M. Vacuhomme y a représenté son entreprise pendant trois ans. M. Orsells y a donné des conférences et, qui plus est, sa femme, née Hénade Jamblique, est d'origine poldève.

« Tous les deux ont un puissant mobile :

« M. Vacuhomme a vu le marché de la poêle à frire dans les quincailleries lui échapper au profit d'une entreprise poldève, qui est précisément celle qui a offert les statuettes aux malheureux quincailliers, donc, le mobile : la vengeance.

« Le mobile d'Orsells est aussi puissant, quoique plus subtil : c'est l'envie ! Envie de ceux qui prennent plus de place dans les journaux, tous ceux dont on parle à longueur de colonnes et qui ne lui arrivent pas à la cheville, donc, en devenant la Terreur des Quincailliers, même de manière indirecte, il est la Vedette, celui qui barre de ses exploits toute une première page et dont on doit fébrilement chercher les déclarations de page en page intérieure du *Journal*.

« Chacun d'eux, si chacun d'eux est le criminel, a besoin d'attirer l'attention sur lui-même, à la fois comme défi et par le secret désir qu'ont tous les criminels d'être arrêtés, *mais arrêtés par moi*, bien entendu. Ou sinon, de me vaincre.

« La simple considération du dossier de M. Vacûhomme m'a révélé son lien avec la Poldévie. Pour Orsells, ce fut plus dur, *les traces avaient été dissimulées*. C'est une remarque du père Sinouls, transmise par Arapède qui l'a entendue par hasard au *Gudule-Bar*, qui m'a mis sur la voie, m'a obligé à fouiller de nouveau le dossier, sinon il ne me serait resté qu'un suspect, le plus évident.

« Voilà, vous avez tous les éléments en main maintenant.

Restait un acte à accomplir, rituel, solennel, inéluctable. Les deux suspects étaient chez eux. Le quartier avait été discrètement bouclé depuis l'aube, les contrôles renforcés aux frontières.

Arrivé au bas de l'escalier D, Arapède pressa sur un bouton. La porte s'ouvrit. Nous montâmes, derrière l'inspecteur Blognard. Il y eut un coup de sonnette, la porte s'ouvrit :

— Excusez-moi de vous déranger, madame, dit Blognard, je suis l'inspecteur Blognard. Je désirerais voir votre mari, le professeur Orsells.

Le moment restera à jamais gravé dans ma mémoire. Mme Orsells, grande, belle, pâle, sa tresse de cheveux blonds tombant dans son dos, longue et blonde, son soulier unique à son pied gauche. Derrière elle, se tenant par la main, en robe sage, les deux fillettes, Adèle et Idèle, l'image de l'innocence. Dernier instant de bonheur d'une famille qui allait être bouleversée par la marche inexorable de la justice.

Orsells parut, sortant de son bureau, sans doute. Blognard et lui se mesurèrent du regard un instant, comme des épéistes avant le premier assaut ; les yeux d'Orsells, son regard faussement surpris, hypocritement interrogateur, semblaient dire : « J'ai perdu une manche, soit, je n'ai pas perdu le match ! »

Il y eut une immobilité brève, puis Blognard parla :

— Philibert Jules Orsells, alias la Terreur des Quincailliers, au nom de la loi, je vous arrête.

Chapitre 28

Le dernier chapitre

Ceci est le dernier chapitre, tel que je suis en ce moment en train de l'écrire, à mon bureau, par une belle matinée de printemps. Pour composer le dernier chapitre, je me suis documenté ; j'ai lu les derniers chapitres de trois cent soixante-six romans, j'en ai déduit quelques règles que je vais m'efforcer de mettre en pratique.

En premier lieu, il faut un dernier chapitre. La lecture de tous les derniers chapitres de romans que j'ai lus m'avait donné l'envie de me dispenser de cette corvée, car on sent que c'est, pour la quasi-totalité de mes confrères, une corvée ; le moment décisif du roman se situe presque toujours à la fin de l'avant-dernier chapitre, et ce qui vient ensuite est nécessairement une retombée, un « anti-climax », comme disent les Anglo-Saxons.

Seulement voilà, il est très difficile de se passer d'un dernier chapitre : car, si on supprime le dernier chapitre pour terminer, en beauté, par l'avant-dernier, voilà que l'avant-dernier chapitre devient *ipso facto* le dernier chapitre avec l'inconvénient, majeur, que le coup de théâtre final, la conclusion d'accords symphoniques, la montée d'émotion que vous avez prévue se trouvant maintenant dans le dernier chapitre, l'avant-dernier chapitre tombe à plat, et le dernier aussi, puisque le lecteur ne peut se laisser prendre par la surprise et l'admiration que s'il sait que ce qu'il lit n'est pas le dernier chapitre, qu'il n'a certes pas l'intention de lire, mais qu'il s'attend quand même à voir, là, court, précédant la table des matières ou, à défaut, le mot FIN. Et si, tenant compte de ce fait, on se décide à reculer encore d'un cran, ça ne sert à rien, sinon qu'on risque à la fin de se trouver avec zéro chapitre, ce qui est peu. Il n'y a pas alors de dernier chapitre, mais à quel prix.

Je me souviens à ce propos que j'avais pensé un moment à introduire dans le roman, en dessous du numéro d'ordre du chapitre et de son titre, un *résumé des chapitres précédents*, comme ça se trouve dans d'excellents romans que j'ai lus. Mais j'y ai renoncé pour la raison suivante, qui n'est pas sans rapport avec celle qui m'a fait abandonner l'idée de me passer d'un dernier chapitre : c'est le problème, dans ce cas du *premier chapitre*. En effet, que mettre, au début d'un premier chapitre sous la rubrique *résumé des chapitres précédents* ? Rien ? Alors on a une dissymétrie regrettable dans l'œuvre, qui la fera juger sévèrement par les critiques et les étudiants de phd du Nebraska. Mon collègue, Stephen Leacock, dans son beau roman *Gertrude, la gouvernante*, si je ne m'abuse, a cru trouver une solution au problème du résumé du premier chapitre en mettant simplement : « Premier chapitre : résumé des chapitres précédents : il n'y a pas de chapitres précédents. »

C'est ingénieux, élégant, mais, je le crains, trop sophistiqué.

Un de mes amis, romancier d'avant-garde, Denis Duabuor, poussant l'idée de Leacock à l'extrême, a écrit un beau roman bâti sur ce principe. Le texte du premier chapitre dont le résumé est « il n'y a pas de chapitre précédent » est : « *Il n'y a pas de chapitre précédent.* » On passe ensuite au chapitre 2. Le résumé du chapitre 1, placé au début du chapitre 2, est : « *Dans le chapitre 1, il a été raconté qu'il n'y avait pas de chapitre précédent.* » Le texte du chapitre 2 est, lui : « *Il n'y a pas de chapitre qui précède le chapitre précédent.* » C'est très beau. Malheureusement, n'ayant pu obtenir de contrat ni d'avance d'aucun éditeur pour son projet, Duabuor a renoncé, je crois, à l'achever, ce qui fait que j'ignore comment il aurait résolu le problème du dernier chapitre, qu'il n'aurait pas manqué de rencontrer à un moment ou un autre.

Mais revenons à nos moutons, je veux dire à notre mouton noir, le dernier chapitre du présent roman, qui sera donc traditionnel dans sa conception.

Le dernier chapitre est écrit au présent, c'est à ce moment que le romancier et le Lecteur sont ensemble, dans le même temps narratif. Toutes les passions, tous les crimes, les bonheurs, les désespoirs sont passés, le quotidien a repris ses droits, le Lecteur lit, le romancier écrit son dernier chapitre, où il prend congé des personnages, où il explique ce qu'ils sont devenus depuis l'avant-dernier chapitre, celui où les événements principaux du récit ont trouvé leur conclusion. Le temps qui a passé est exactement celui qui a été nécessaire au romancier pour écrire son roman, et maintenant il en est au dernier chapitre.

L'inspecteur Blognard est plongé jusqu'au cou, accompagné de son fidèle adjoint Arapède, dans l'Affaire de la *Patrologie*. Si l'affaire de la Terreur des Quincailliers s'est conclue par une victoire, ça n'a été qu'une demi-victoire. Orsells a été condamné à une peine de principe légère, il restait un doute certain dans l'esprit des jurés ; finalement, à la suite d'une intense campagne d'opinion, à laquelle a participé Hortense, il a été libéré. La raison en est que l'avocat général, un balourd, a été incapable de reproduire la preuve décisive, le raisonnement par lequel Blognard montrait que la propre philosophie d'Orsells, la *Règle d'or de l'Ontéthique*, rendait sa culpabilité inévitable. Il s'est emmêlé les pinceaux et l'avocat d'Orsells n'a eu aucune peine, en utilisant la même Règle, non à démontrer son innocence (les jurés n'ont pas suivi le raisonnement), mais à introduire au moins un doute dans l'esprit du jury, qui s'en est tiré par la solution boiteuse d'une peine inférieure à celle qui était demandée par l'accusation.

Il faut avouer qu'Arapède n'avait pas été entièrement convaincu par Blognard :

— Ça ressemble à une preuve, disait-il de l'argument tiré de la Règle d'or, ça a un goût de preuve, c'est dans un emballage de preuve, mais est-ce que c'est vraiment et pleinement une preuve ?

Blognard, mettant cette réserve sur le compte du scepticisme bien connu d'Arapède, ne lui en a pas voulu. Il ne s'est pas fâché non plus de la neutralité (plutôt qu'une défection d'ailleurs) du Narrateur, dont les causes étaient parfaitement excusables à ses yeux, mais le mieux est que je vous donne lecture d'une lettre du Narrateur lui-même, envoyée à un moment où nos relations étaient encore excellentes (c'est-à-dire avant le succès grossier et immérité de son médiocre livre sur l'Affaire) :

« Comme vous le comprendrez aisément (la lettre accompagnait le faire-part de son mariage avec Hortense), je suis tenu à une stricte neutralité dans le procès, puisqu'Hortense a pris fait et cause pour Orsells et que je suis, moi, lié à Blognard (il ne m'en veut pas, apparemment). Et je dois dire que les discussions franches et passionnées que nous avons eues à propos de l'application de la Règle d'or de l'Ontéthique au problème m'ont ébranlé un peu. J'étais sûr, pourtant, de la culpabilité d'Orsells. »

Le Narrateur, donc, a épousé Hortense. Il l'a réconciliée avec sa famille, et Hortense s'est adoucie au point d'accepter qu'un nombre respectable de jambons poldéviens (les meilleurs du monde) se transforment en une coquette maison en Normandie où le couple s'est retiré après la libération d'Orsells, elle pour achever enfin son mémoire, lui pour écrire son best-seller sur l'affaire de la Terreur des Quincailliers.

Mme et M. Yvonne vont bien. Les Groichant, les Boillault, les Sinouls, Yvette vont bien. Mme Eusèbe s'est apparemment consolée de la disparition d'Alexandre Vladimirovitch qui n'a pas reparu depuis le dimanche de l'inauguration. Eusèbe a repris son grand œuvre d'observation des Touristes, mais parfois son regard s'égare, vacille et il se surprend à contempler un chien qui passe.

Sainte-Gudule va bien.

Tout va bien.

FIN

L'après-dernier chapitre

Environ trois mois après les événements rapportés aux chapitres 26 et 27, c'est-à-dire au lendemain de la sixième attaque du criminel surnommé « le Querelleur des Teinturiers » (la victime était Mme veuve Anylline, demeurant au 53 de la rue des Citoyens, escalier D. Selon son habitude, le criminel, d'une audace inouïe, s'était introduit dans la teinturerie au moment de la fermeture, avait réclamé le nettoyage parfait et instantané d'un pantalon d'une saleté repoussante et, devant le refus de Mme Anylline, s'était pris de querelle avec elle et, en un accès de rage probablement simulée, s'était mis à répandre, selon une procédure compliquée, une traînée d'acide nitrique (fumant) à l'effet catastrophique sur le contenu du magasin. Puis, il avait disparu, de nouveau indescriptible et insaisissable), Carole, étudiante en Paléontologie Aérienne, monta dans l'autobus Q, à l'arrêt Vieille-des-Archives. La ligne Q, comme chacun sait, a un trajet perpendiculaire à celui de la ligne T, qu'elle croise au carrefour Citoyens-Vieille-des-Archives.

Carole, une belle jeune fille brune chaudement vêtue

(il gelait), posa ses affaires sur la place située en face d'elle qui était inoccupée. Au moment où l'autobus repartait, elle aperçut, sur le mur de la maison, en face du 53 de la rue des Citoyens, une silhouette de femme peinte à la peinture blanche, avec un soutien-george bleu. Elle était représentée debout, *en train de pisser*. Au troisième arrêt de l'autobus (elle se rendait au Muséum d'histoire naturelle), un jeune homme s'avança dans l'allée centrale et manifesta l'intention de prendre la place qui était en face d'elle. Carole enleva aussitôt ses affaires, qu'elle posa sur ses genoux, et le jeune homme s'assit.

S'asseyant, il regarda Carole et lui dit :

— Vous avez de beaux yeux, mademoiselle, surtout le gauche.

C'était vrai.

Table des matières

DU MÊME AUTEUR

Epsilon
Gallimard, 1967

Mono no aware :
Le sentiment des choses.
(cent quarante trois poèmes empruntés au japonais)
Gallimard, 1970

Renga
Poésie
(en collaboration avec O. Paz, C. Tomlinson, E. Sanguineti)
Gallimard, 1971

Trente et un au cube
Poésie
Gallimard, 1973

Mezura
Poésie
Éditions d'Atelier, 1975

Autobiographie, chapitre dix
Poésie
Gallimard, 1977

Inimaginaire IV
Poésie
(collaboration avec P.L. Rossi, P. Lartigue, L. Ray)
Privately printed. La Ferté Macé

Graal Fiction
Gallimard, 1978

La Vieillesse d'Alexandre
Essai sur quelques états récents du vers français
Maspero, Action poétique, 1978
Ramsay, 1988

Dors, *précédé de* Dire la poésie
Gallimard, 1981

Le Roi Arthur
Au temps des chevaliers et des enchanteurs
Hachette, « Echos/personnages », 1983

Les Animaux de tout le monde
(Poèmes illustrés par Marie Borel et Jean-Yves Cousseau)
Ramsay, 1983
Édition augmentée, Seghers, 1990

Quelque chose noir
Poésie
Gallimard, 1986

La Fleur inverse
Essai sur l'art formel des Troubadours
Ramsay, 1986
2ème Édition, Les Belles Lettres, 1994

L'Enlèvement d'Hortense
Ramsay, 1987
Seghers, 1991
Seuil, « Points », n° P212

La Bibliothèque oulipienne
(en collaboration avec Paul Fournel)
3 volumes, Seghers, 1987 - 1990

Partition rouge
(en collaboration avec Florence Delay)
Seuil, « Fiction & Cie », 1988
et « Points Sagesse » n° 87

Le Grand Incendie de Londres
Récit, avec incises et bifurcations, 1985-1987
Seuil, « Fiction & Cie », 1989

Échanges de la lumière
Essai
Éditions Métailié, 1990

L'Hexaméron
(en collaboration)
Seuil, « Fiction & Cie », 1990

La Princesse Hoppy ou le Conte du Labrador
Hatier, « Fées et Gestes », 1990

L'Exil d'Hortense
Seghers, 1990
Seuil, « Points » (à paraître en mars 1996)

Les Animaux de personne
(Poèmes illustrés par Marie Borel et Jean-Yves Cousseau)
Seghers, « Volubile », 1991

Impressions de France
Essai
Éditions Hatier, « Brèves », 1991

La Pluralité des mondes de Lewis
Poésie
Gallimard, 1991

L'Invention du fils de Leoprepes
Essai
Éditions Circé, 1993

La Boucle
Seuil, « Fiction & Cie », 1993

Monsieur Goodman rêve de chats
Poésie
Gallimard, « Folio Cadet or »,1994

Poésie etcetera, ménage
Essai
Stock, 1995

Blagnard.

IMPRESSION : BUSSIÈRE CAMEDAN IMPRIMERIES
À SAINT-AMAND (CHER)
DÉPÔT LÉGAL : JANVIER 1996. N° 24546 (4/1014)

Collection Points

DERNIERS TITRES PARUS

P55. Les Habits neufs de Margaret
par Alice Thomas Ellis
P56. Les Confessions de Victoria Plum, *par Anne Fine*
P57. Histoires de faire de beaux rêves, *par Kaye Gibbons*
P58. C'est la curiosité qui tue les chats, *par Lesley Glaister*
P59. Une vie bouleversée, *par Etty Hillesum*
P60. L'Air de la guerre, *par Jean Hatzfeld*
P61. Piaf, *par Pierre Duclos et Georges Martin*
P62. Lettres ouvertes, *par Jean Guitton*
P63. Trois Kilos de café, *par Manu Dibango en collaboration avec Danielle Rouard*
P64. L'Ange aveugle, *par Tahar Ben Jelloun*
P65. La Lézarde, *par Édouard Glissant*
P66. L'Inquisiteur, *par Henri Gougaud*
P67. L'Étrusque, *par Mika Waltari*
P68. Leurs mains sont bleues, *par Paul Bowles*
P69. Contes d'amour, de folie et de mort, *par Horacio Quiroga*
P70. Le vieux qui lisait des romans d'amour, *par Luis Sepúlveda*
P71. Rumeurs, *par Jean-Noël Kapferer*
P72. Julia et Moi, *par Anita Brookner*
P73. Déportée à Ravensbruck
par Margaret Buber-Neumann
P74. Meurtre dans la cathédrale, *par T. S. Eliot*
P75. Chien de printemps, *par Patrick Modiano*
P76. Pour la plus grande gloire de Dieu, *par Morgan Sportès*
P77. La Dogaresse, *par Henri Sacchi*
P78. La Bible du hibou, *par Henri Gougaud*
P79. Les Ivresses de Madame Monro, *par Alice Thomas Ellis*
P80. Hello, Plum !, *par Pelham Grenville Wodehouse*
P81. Le Maître de Frazé, *par Herbert Lieberman*
P82. Dans la peau d'un intouchable, *par Marc Boulet*
P83. Entre le ciel et la terre, *par Le Ly Hayslip (avec la collaboration de Charles Jay Wurts)*
P84. Sur la route des croisades, *par Jean-Claude Guillebaud*
P85. L'Homme sans postérité, *par Adalbert Stifter*
P86. Le Nez de Mazarin, *par Anny Duperey*
P87. L'Alliance, tome 1, *par James A. Michener*
P88. L'Alliance, tome 2, *par James A. Michener*
P89. Regardez-moi, *par Anita Brookner*
P90. Si par une nuit d'hiver un voyageur, *par Italo Calvino*

P91. Les Grands Cimetières sous la lune, *par Georges Bernanos*
P92. Salut Galarneau !, *par Jacques Godbout*
P93. La Barbare, *par Katherine Pancol*
P94. American Psycho, *par Bret Easton Ellis*
P95. Vingt Ans et des poussières, *par Didier van Cauwelaert*
P96. Un week-end dans le Michigan, *par Richard Ford*
P97. Jules et Jim, *par François Truffaut*
P98. L'Hôtel New Hampshire, *par John Irving*
P99. Liberté pour les ours !, *par John Irving*
P100. Heureux Habitants de l'Aveyron et des autres départements français, *par Philippe Meyer*
P101. Les Égarements de Lili, *par Alice Thomas Ellis*
P102. Esquives, *par Anita Brookner*
P103. Cadavres incompatibles, *par Paul Levine*
P104. La Rose de fer, *par Brigitte Aubert*
P105. La Balade entre les tombes, *par Lawrence Block*
P106. La Villa des ombres, *par David Laing Dawson*
P107. La Traque, *par Herbert Lieberman*
P108. Meurtres à cinq mains, *par Jack Hitt avec Lawrence Block, Sarah Caudwell, Tony Hillerman, Peter Lovesey, Donald E. Westlake*
P109. Hygiène de l'assassin, *par Amélie Nothomb*
P110. L'Amant sans domicile fixe *par Carlo Fruttero et Franco Lucentini*
P111. La Femme du dimanche *par Carlo Fruttero et Franco Lucentini*
P112. L'Affaire D., *par Charles Dickens, Carlo Fruttero et Franco Lucentini*
P113. La Nuit sacrée, *par Tahar Ben Jelloun*
P114. Sky my wife ! Ciel ma femme !, *par Jean-Loup Chiflet*
P115. Liaisons étrangères, *par Alison Lurie*
P116. L'Homme rompu, *par Tahar Ben Jelloun*
P117. Le Tarbouche, *par Robert Solé*
P118. Tous les matins je me lève, *par Jean-Paul Dubois*
P119. La Côte sauvage, *par Jean-René Huguenin*
P120. Dans le huis clos des salles de bains, *par Philippe Meyer*
P121. Un mariage poids moyen, *par John Irving*
P122. L'Épopée du buveur d'eau, *par John Irving*
P123. L'Œuvre de Dieu, la Part du Diable, *par John Irving*
P124. Une prière pour Owen, *par John Irving*
P125. Un homme regarde une femme, *par Paul Fournel*
P126. Le Troisième Mensonge, *par Agota Kristof*
P127. Absinthe, *par Christophe Bataille*
P128. Le Quinconce, vol. 1, *par Charles Palliser*
P129. Le Quinconce, vol. 2, *par Charles Palliser*

P130. Comme ton père, *par Guillaume Le Touze*
P131. Naissance d'une passion, *par Michel Braudeau*
P132. Mon ami Pierrot, *par Michel Braudeau*
P133. La Rivière du sixième jour (Et au milieu coule une rivière) *par Norman Maclean*
P134. Mémoires de Melle, *par Michel Chaillou*
P135. Le Testament d'un poète juif assassiné, *par Elie Wiesel*
P136. Jésuites, 1. Les conquérants *par Jean Lacouture*
P137. Jésuites, 2. Les revenants *par Jean Lacouture*
P138. Soufrières, *par Daniel Maximin*
P139. Les Vacances du fantôme, *par Didier van Cauwelaert*
P140. Absolu, *par l'abbé Pierre et Albert Jacquard*
P141. En attendant la guerre, *par Claude Delarue*
P142. Trésors sanglants, *par Paul Levine*
P143. Le Livre, *par Les Nuls*
P144. Malicorne, *par Hubert Reeves*
P145. Le Boucher, *par Alina Reyes*
P146. Le Voile noir, *par Anny Duperey*
P147. Je vous écris, *par Anny Duperey*
P148. Tierra del fuego, *par Francisco Coloane*
P149. Trente Ans et des poussières, *par Jay McInerney*
P150. Jernigan, *par David Gates*
P151. Lust, *par Elfriede Jelinek*
P152. Voir ci-dessous : Amour, *par David Grossman*
P153. L'Anniversaire, *par Juan José Saer*
P154. Le Maître d'escrime, *par Arturo Pérez-Reverte*
P155. Pas de sang dans la clairière, *par L. R. Wright*
P156. Une si belle image, *par Katherine Pancol*
P157. L'Affaire Ben Barka, *par Bernard Violet*
P158. L'Orange amère, *par Didier Van Cauwelaert*
P159. Une histoire américaine, *par Jacques Godbout*
P160. Jour de silence à Tanger, *par Tahar Ben Jelloun*
P161. La Réclusion solitaire, *par Tahar Ben Jelloun*
P162. Fleurs de ruine, *par Patrick Modiano*
P163. La Mère du printemps (L'Oum-er-Bia) *par Driss Chraïbi*
P164. Portrait de groupe avec dame, *par Heinrich Böll*
P165. Nécropolis, *par Herbert Lieberman*
P166. Les Soleils des indépendances, *par Ahmadou Kourouma*
P167. La Bête dans la jungle, *par Henry James*
P168. Journal d'une parisienne, *par Françoise Giroud*
P169. Ils partiront dans l'ivresse, *par Lucie Aubrac*
P170. Le Divin Enfant, *par Pascal Bruckner*

P171. Les Vigiles, *par Tahar Djaout*
P172. Philippe et les Autres, *par Cees Nooteboom*
P173. Far Tortuga, *par Peter Matthiessen*
P174. Le Dieu manchot, *par José Saramago*
P175. Molière ou la Vie de Jean-Baptiste Poquelin
par Alfred Simon
P176. Saison violente, *par Emmanuel Roblès*
P177. Lunes de fiel, *par Pascal Bruckner*
P178. Le Voyage à Paimpol, *par Dorothée Letessier*
P179. L'Aube, *par Elie Wiesel*
P180. Le Fils du pauvre, *par Mouloud Feraoun*
P181. Red Fox, *par Anthony Hyde*
P182. Enquête sous la neige, *par Michael Malone*
P183. Cœur de lièvre, *par John Updike*
P184. La Joyeuse Bande d'Atzavara
par Manuel Vázquez Montalbán
P185. Le Petit Monde de Don Camillo
par Giovanni Guareschi
P186. Le Temps des Italiens, *par François Maspero*
P187. Petite, *par Geneviève Brisac*
P188. La vie me fait peur, *par Jean-Paul Dubois*
P189. Quelques Minutes de bonheur absolu
par Agnès Desarthe
P190. La Lyre d'Orphée, *par Robertson Davies*
P191. Pourquoi lire les classiques, *par Italo Calvino*
P192. Franz Kafka ou le Cauchemar de la raison
par Ernst Pawel
P193. Nos médecins, *par Hervé Hamon*
P194. La Déroute des sexes, *par Denise Bombardier*
P195. Les Flamboyants, *par Patrick Grainville*
P196. La Crypte des capucins, *par Joseph Roth*
P197. Je vivrai l'amour des autres, *par Jean Cayrol*
P198. Le Crime des pères, *par Michel del Castillo*
P199. Cent Ans de chanson française (1880-1980)
par Chantal Brunschwig, Louis-Jean Calvet
et Jean-Claude Klein
P200. Port-Soudan, *par Olivier Rolin*
P201. Portrait de l'artiste en jeune chien
par Dylan Thomas
P202. La Belle Hortense, *par Jacques Roubaud*
P203. Les Anges et les Faucons, *par Patrick Grainville*
P204. Autobiographie de Federico Sánchez
par Jorge Semprún
P205. Le Monarque égaré, *par Anne-Marie Garat*
P206. La Guérilla du Che, *par Régis Debray*